Los infortunios
de la virtud

◆ COLECCIÓN FONTANA ◆

Marqués de Sade

Los infortunios de la virtud

Traducción
JORGE CARRIER VELEZ

Prólogo y presentación
FRANCESC L. CARDONA
Doctor en Historia y Catedrático

EDICOMUNICACION, S.A.

Título del original en francés:
Les infortunes de la vertu

© 1995, Edicomunicación, S. A.

Diseño de cubierta: Quality Design

Edita: Edicomunicación, S. A.
         Las Torres, 75.
         08033 Barcelona (España)

Impreso en España / Printed in Spain

Queda rigurosamente prohibida, sin la autorización escrita de los titulares
del «Copyright», bajo las sanciones establecidas en las leyes, la repro-
ducción parcial o total de esta obra por cualquier medio o procedimiento,
comprendidos la reprografía y el tratamiento informático, y la distribución
de ejemplares de ella mediante alquiler o préstamo públicos.

I.S.B.N: 84-7672-670-8
Depósito Legal: B-30935-95

Impreso en:
Limpergraf, s.a.
Del río, 17 - nave 3
Ripollet (Barcelona)

ESTUDIO PRELIMINAR

El marqués de Sade: el hombre y su mundo

Donatien-Alphonse-François, marqués de Sade, nació en París el 2 de junio de 1740, en pleno reinado de Luis XV, una época marcada por la Ilustración y el Despotismo ilustrado, pero también por las intrigas de la decadente corte de Versalles, nido de intrigantes, embaucadores y aventureros: Cagliostro, Casanova, el conde de Saint-Germain, y en la que el veneno o el pasaporte para la Bastilla eran moneda corriente, auspiciada por un monarca nada ejemplar en su conducta, ni como hombre, ni como soberano.

El padre del que daría nombre a un tipo de agresividad sexual singular, según Krafft-Ebing (1866) y el psicoanálisis de Sigmund Freud, fue Jean Baptiste-Joseph-François, señor de Saumane y coseñor de Mazan, coronel general de varias provincias; siendo su madre Marie-Eléonore de Maillé de Carman, dama de compañía de la princesa de Condé.

La educación conferida por su tío, el erudito libertino y volteriano abate de Sade, marcaría a nuestro escritor para toda la vida. Su condición nobiliaria le abrió las puertas de la Escuela de Caballería. En 1755 obtuvo el grado de alférez del regimiento real, aunque todavía sin paga. Cuatro años más tarde, como capitán del regimiento de Borgoña, intervino en la

Guerra de los Siete Años, Su culto al libertinaje era ya un hecho.

Acabada la guerra con la derrota de Francia, Sade, licenciado, se instaló en su castillo de La Coste. Enamorado de Adeline de Lauris, casó en 1766, por interés, con René-Pélagie de Montreuil, hija de un magistrado, y a la que abandonará cinco años más tarde, no sin haberle dado dos hijos y una hija.[1] Su colección de amantes ya es respetable y su libertinaje alcanzó por entonces cotas considerables.[2]

El domingo de Pascua de 1768, Sade contrató a la mendiga Rose Keller para que se ocupara de faenas domésticas en su villa de Arcueil, aunque en realidad era para realizar innobles prácticas con la desdichada joven. Rose pudo escapar y denunciarle. Acusado de torturas, Sade fue encerrado en el castillo de Saumur, pero, tras una comparecencia ante el Parlamento, fue liberado por orden real.

Sin embargo, en 1771 visitaría la prisión por deudas. Retirado a su castillo de La Coste, pudo estrenar una de sus comedias, pero sus dificultades financieras siguieron agravándose. En 1772, en Marsella, una muchacha le acusó de intento de envenenamiento (había distribuido, en una orgía, algunos afrodisíacos a cuatro prostitutas, una de las cuales cayó gravemente enferma). Condenado a muerte por contumacia, junto con su criado Latour, consiguió huir a Génova. Allí el rey de Cerdeña lo hizo encarcelar en la fortaleza de Miolans, de la que escapó al cabo de seis meses para llevar una vida errante por Francia e Italia, acusado de cometer toda suerte de raptos, estupros y violaciones.

1 La separación legal definitiva no sería hasta 1790, y sus descendientes rehusaron llevar el título de marqués.

2 *libertinaje, libertino:* conceptos que se pusieron de moda, a partir de la Ilustración y el siglo XVII, para designar la conducta de individuos fuera de toda norma moral y religiosa. Abundaron entre la clase aristocrática e intelectual (filósofos, pensadores, escritores).

En 1777, por iniciativa de su suegro, fue detenido en París, juzgado en Aix, y recluido sucesivamente en la fortaleza de Vincennes, antes de ser trasladado a la Bastilla. Allí es donde comienza la redacción de los *Los ciento veinte días de Sodoma* (1784), y después, dos años más tarde, de *Los infortunios de la virtud* —de la que nos ocuparemos más adelante— y *Aline y Valcour*. En 1789, después de permanecer diez años en la Bastilla, es trasladado a Charenton, un asilo de locos. Debe así abandonar su biblioteca, con sus seiscientos libros y manuscritos.

En 1790, la Asamblea Constituyente le devuelve la libertad y tiene cierta participación en los sucesos de esa época, curiosamente en sentido moderado, quizá por su condición de noble. La repugnan los actos vandálicos de los revolucionarios exaltados o rabiosos, así como las matanzas de los robespieristas. Por esta causa, en 1793 es acusado de tibieza y nuevamente encarcelado, entonces por motivos políticos, pero la caída de Robespierre, le concede de nuevo la libertad (1794).

En 1795 publica *La filosofía del tocador*, *Aline y Valcour*, *La nueva Justine* y *Juliette*, pero vuelve a ser detenido en 1801, ya bajo el régimen napoleónico, por el escándalo promovido por *La filosofía...*. Dos años más tarde volverá a ser conducido al manicomio-prisión de Charenton por ser el autor de la «infame» novela *Justine*. En ese encierro vivió hasta su muerte, ocurrida en 1814, no sin dejar de organizar representaciones teatrales y de escribir nuevas obras.

Producción literaria

Alguna de sus novelas más famosas fueron escritas durante sus largos períodos de encarcelamiento. Una de las primeras, como ya hemos dicho, es *Justine o los infortunios de la virtud*, cuya versión definitiva —y excesiva, si nos permite decir—

apareció en 1791; de la versión de 1787 hablaremos más adelante. A ésta siguió *Aline y Valcour, o la Novela filosófica* (1793),
La filosofía en el tocador (1795), *La nouvelle Justine, o las desgracias de la virtud*. Seguida de *Juliette o las prosperidades del
vicio* (1797).

En esta misma línea se hallan *Los crímenes del amor* (1800),
La marquesa de Gange (1813), *Los 120 días de Sodoma* (1904),
publicado póstumamente.

A todas ellas hay que añadir una serie de opúsculos políticos, comedias, dramas, cuentos, historietas, ensayos y relatos,
notas históricas, políticas, críticas y filosóficas, muchas inéditas,
otras destruidas o quemadas por la policía.

El siglo XX y en especial, los surrealistas se esforzaron por
revalorizar la controvertida figura del marqués y entre otras
obras en 1926 aparecieron *Diálogo entre un sacerdote y un moribundo, Historietas, cuentos y apólogos*, a los que siguieron *Los
ciento veinte días de Sodoma* (1931-35) e *Historia secreta de
Isabel de Baviera* (1952), diversa correspondencia y cuadernos
personales, etcétera.

Sea como fuere, considerando incluso que gran parte de la
obra de Sade permanece todavía inédita o fue destruida, ésta
continúa siento extensa y variada. Por otra parte, a nuestro
autor, aunque nunca fue un perfeccionista, publicó —por lo
general debido a la pérdida de sus manuscritos— diversas ver-
siones de sus obras, las que suelen crecer en tremendismo y no
en calidad literaria. El ejemplo más claro es la propia *Justine*, que
analizamos seguidamente.

Estudio especial de *Los infortunios de la virtud*

Según confesión de su autor, la primera redacción fue escrita
«al cabo de quince días» (dieciséis) en la Bastilla en 1787. Esta
obra tenía todas las cualidades del «divino marqués» y pocos de

sus excesos, siendo hoy considerada como un «cuento de hadas» al revés, donde siempre triunfa el mal; perdido en prisión el primer manuscrito, en 1791 publica una segunda versión. La tercera versión apareció en 1795, considerablemente alargada, como *La nueva Justine o los infortunios de la virtud,* en 4 volúmenes. En un prefacio anterior de 1788, compuesto por el propio marqués, dice: «El objetivo de esta novela es el de presentar por todas partes el Vicio triunfante y a la Virtud como víctima de sus sacrificios; o a una desgraciada vagando de desventura en desventura cual juguete en manos de la maldad»... a pesar de hablarse también del «ascendente de la Virtud sobre el Vicio, la recompensa del bien y el castigo del mal».

«Las pinturas más audaces, las descripciones más osadas, las situaciones más extraordinarias, las máximas más espantosas, las pinceladas más enérgicas tienen el solo objeto —según Sade— de obtener de todo ello una de las más sublimes lecciones de moral que el hombre haya recibido nunca.»

Justine representa así a la virtud perseguida, y su hermana Juliette el abandono libertino a los males de la naturaleza, que triunfan: es una especie de contratipo de la doctrina de Rousseau, aderezado con humor negro, Juliette acoge a su hermana caída, pero sólo para escuchar la narración de su vida licenciosa.

Así pues, aunque muchos no lo crean, Sade es a su manera un moralista, un defensor no de la moral tradicional y la hipocresía que ésta comporta. Su obra, descarnada, se alza contra los tópicos sociales que tanto atenazaban en su tiempo y continúan atenazándonos. Sade se sitúa así en contra de la amoralidad o la inmoralidad vigente, y monta sin tapujos la suya, y no la esconde o enmascara a pesar de persecuciones y encarcelamientos. Sade no fue nunca un oportunista.

Salvando distancias y valores, y al igual que Cervantes con el *Quijote,* nuestro novelista busca, mediante el desmadre a lo esperpéntico o buñolesco, fustigar los vicios de su irrelevante sociedad, aunque curiosamente tampoco él sabe como sustituirla. Por desgracia, cualquier parecido con la realidad de los relatos contados por Sade no era pura coincidencia.

Sade es también maestro del humor, pero un humor negro, satírico, que no deja títere con cabeza y en especial contra la gente de toga, singularmente los magistrados del Parlamento de Aix, que tanto le persiguieron. ¿Obra de un desequilibrado? Quizá, pero digna de profundos estudios psicoanalíticos, porque los fantasmas del cerebro humano pueden no ser menos monstruosos que los que la calenturienta imaginación de Sade nos legó.

Aunque no se hable de pornografía en la obra de Sade, es cierto que en ediciones posteriores de *Justine o los infortunios* el relato es muchísimo más subido de tono, pero más que excitarnos nos produce repulsión o rechazo ante tanta miseria y desequilibrio. Por otra parte, el sadismo supone una vía activa de la agresividad hacia el prójimo, no siempre ligada a la escenificación de fantasmas sexuales. Cuando concierne al acto sexual, el sadismo ha de considerarse con su opuesto, el masoquismo (sadomasoquismo).

La filmografía contemporánea exalta una y otra vez guiones que con placer hubiera firmado sin rechistar Sade. El más famoso de los Estados totalitarios hizo proliferar campos de concentración que superaron todo tipo de sadismo. La reivindicación actual de la obra de nuestro escritor maldito se halla más que justificada. Pensemos también que en la época en que se escribió se puso de moda desde la guillotina hasta los «ahogamientos» en masa en el Loira o el ametrallamiento del pueblo sin compasión en Lyon, y hasta se llegó a afirmar que hubo tenerías de piel humana durante el Terror.

Por otra parte, puede opinarse que Sade se complacía explicando los descarnados pormenores de los martirios y vejaciones sufridas por Justine, y su vida privada pudiera corroborar tal aserto, pero ¿qué manifestar ante párrafos cómo éstos?

...la prosperidad del malvado no es más que una prueba a la que la providencia nos somete, es como el rayo cuyos engañosos fuegos embellecen la atmósfera sólo para precipitar en los abismos de la muerte a los desgraciados a los que deslumbran...

...Vos que leeréis esta historia, ojalá podáis sacar de ella el mismo provecho que aquella mujer mundana y corregida, ojalá podáis convenceros con ella de que la verdadera felicidad no está sino en el seno de la virtud y de que si Dios permite que sea perseguida sobre la tierra es para prepararle en el cielo una más halagüeña recompensa.

Palabras que pudiera suscribir cualquier moralista cristiano. En 1930, Maurice Heine, y sobre todo en 1967 Gilbert Lély, hicieron lo imposible por sacar al Marqués de Sade del «infierno» en que, junto a su obra, se hallaba confinado. En los últimos tiempos Sade ha sido reivindicando, quizá sin conocerle a fondo, unos para ensalzarle y otros para seguir considerándolo un maldito (consideremos que el auge actual del feminismo no contribuye a mejorar su imagen).[3] Por encima de tirios y troyanos, Sade será un escritor, un poeta, un filósofo y en especial un hombre que vivió, padeció y murió tras treinta años de cárcel, su última morada. La grandeza de Sade estriba en su propia contradicción y en las suscitadas por los que le leyeron... y por los que lo leerán.

FRANCESC L. CARDONA

3 Véase al respecto Simone de Beavoir: *El marqués de Sade*, Buenos Aires, Siglo Veinte, 1964; y *El marqués de Sade. El diablo Cagliostro*, Madrid, Amigos de la historia, 1973.

BIBLIOGRAFÍA

Apollinaire, G. *La obra del marqués de Sade*, 1909.

Bataille, G. «Sade», en *La literatura y el mal*, 1957.

Beauvoir, Simone de. *El marqués de Sade* (edición castellana de 1964).

Blanchot, Maurice. *Lautremont y Sade*, 1949.

Heine, Maurice. *Le Marquis de Sade*, 1950.

Kossowski, P. *Sade, mon prochain*, 1947.

Lacan, J. *Kant y Sade*, 1963.

Lély, Gilbert, *Vie du Marquis de Sade*, 1952-57.

LOS INFORTUNIOS
DE LA VIRTUD

(establecida según la versión
de 1787, perdida por Sade en
la Bastilla y reeditada en 1930
—con algunas variantes— por
Maurice Heine)

El triunfo de la filosofía debería consistir en echar luz sobre la oscuridad de los caminos de que la providencia se sirve para lograr los designios que se propone sobre el hombre, y en trazar, de acuerdo con esto, un plan de conducta que pudiera hacer conocer a ese desgraciado individuo bípedo, perpetuamente zarandeado por los caprichos de ese ser que, según se dice, le dirige tan despóticamente, el modo como debe interpretar los decretos de esa providencia sobre él, el sendero que debe tomar para prevenir los curiosos caprichos de esa fatalidad a la que se dan veinte diferentes nombres, sin haber logrado aún definirla.

Ya que, partiendo de nuestras convenciones sociales y no apartándose nunca de esta veneración que se nos inculca en la infancia, desgraciadamente ocurre que, por la perversión de los demás, no importa el bien que practiquemos, nunca hallemos más que espinas, mientras que los malos no recogen más que rosas, ¿no calcularán las gentes privadas de un fondo de virtud lo bastante sólido como para situarse por encima de las reflexiones que suscitan estas tristes circunstancias, que entonces vale más abandonarse al torrente que resistirse a él? ¿No dirán que la virtud, por hermosa que sea, cuando desgraciadamente resulta demasiado débil para luchar contra el vicio, se convierte en el peor partido que pueda tomarse, y que en un siglo enteramente corrompido, lo más seguro es hacer como todos? Un poco más instruidos, si se quiere, y abusando de las luces que han adquirido ¿no dirán, con el ángel Jesrad de *Zadig*,[1] que no

1 *Zadig*, o *el destino*, novela corta de Voltaire. [N. del T.]

hay mal que por bien no venga? ¿No añadirán a esto por su cuenta que, puesto que en la constitución imperfecta de nuestro pérfido mundo hay una suma de males igual a la del bien, es esencial para la conservación del equilibrio que haya tantos buenos como malos, y que según esto, el plan general le es indiferente que éste o aquél sea preferentemente bueno o malo? ¿Que si la desgracia persigue a la virtud, y la prosperidad acompaña casi siempre al vicio, siendo la cosa indiferente a los designios de la naturaleza, vale infinitamente más formar entre los malos que prosperan que entre los virtuosos que perecen? Es, pues, importante atajar estos peligrosos sofismas de la filosofía, es esencial hacer ver que los ejemplos de la virtud desgraciada, presentados a un alma corrompida en la que aún quedan, sin embargo, algunos buenos principios, pueden llevar a esa alma al bien, con tanta seguridad como si se le hubieran ofrecido en el sendero de la virtud las más brillantes palmas y las más aduladoras recompensas. Resulta sin duda cruel tener que pintar una multitud de desgracias, que abruman a la mujer dulce y sensible que más respeta la virtud, y de otra parte, la más brillante fortuna, en la que durante toda su vida la desprecia; pero si, sin embargo, del esbozo de estos dos cuadros, algunos vigorosos y otros cínicos, nace un bien, ¿habrá que reprocharse el habérselos ofrecido al público?, ¿podrá sentirse remordimiento por haber establecido un hecho del que para el lector que lee con fruición se deduzca la tan filosófica lección de la sumisión a las leyes de la providencia, parte del desarrollo de sus más secretos enigmas y la fatal advertencia de que con frecuencia el cielo no golpea a los seres que a nuestro lado parecen haber mejor cumplido su deber, sino para recordarnos el nuestro?

Tales son los sentimientos que nos ponen la pluma en la mano, y en consideración de su buena fe es como rogamos a nuestros lectores un poco de atención mezclada de interés hacia los infortunios de la triste y miserable Justine.

La señora condesa de Lorsange era una de esas sacerdotisas de Venus, cuya fortuna es el resultado de una figura encantadora, de un gran desarreglo en la conducta y de la falacia, y cuyos títulos, por pomposos que sean, se encuentran sólo en los archivos de Citerea, forjados por la impertinencia que los toma y apoyados por la estúpida credulidad que los otorga. Morena, vivaz, de hermosa talla, con ojos negros prodigiosamente expresivos, brillantes y sobre todo con esa moderna incredulidad, que, dando un atractivo más a las pasiones, hace que la mujer en quien se intuye sea mucho más buscada, había recibido, sin embargo, la educación más exquisita posible; hija de un comerciante mayorista de la calle Saint-Honoré, había sido educada con una hermana tres años más joven que ella en uno de los mejores conventos de París, donde, hasta la edad de quince años, no se le había negado ningún consejo, ningún maestro, ningún buen libro. En esta época fatal para la virtud de una doncella, de repente, todo le faltó. Una terrible bancarrota precipitó a su padre en tal cruel situación, que todo lo que pudo hacer para escapar al más siniestro destino fue trasladarse prontamente a Inglaterra, dejando sus hijas y su esposa, que murió de pena ocho días después de la partida de su marido, que también pereció al atravesar el Canal de la Mancha. Uno o dos parientes, que era todo lo que les quedaba, deliberaron sobre lo que harían con las niñas, y puesto que su herencia se elevaba alrededor de cien escudos para cada una, resolvieron abrirles la puerta, darles lo que les correspondía y hacerlas dueñas de sus actos. La señora de Lorsange, que entonces se llamaba Juliette y cuyo carácter y mentalidad estaban ya casi tan formados como a la edad de treinta años, en la que se encontraba durante la anécdota que narramos, no pareció sentir sino el placer de ser libre, sin reflexionar un instante en los crueles reveses que rompían sus cadenas. En cuanto a Justine, su hermana, acababa de cumplir doce años, tenía un carácter sombrío y melancólico, estaba dotada de una ternura y una sensibilidad sorprendentes, y en lugar del artificio y la finura de su hermana poseía una ingenuidad, un candor, una buena fe que debían hacerla caer en numerosas trampas, y sentía todo el horror de su posición. Esta doncella poseía una fisonomía completamente diferente de la de Juliette; todo lo que de artificio, de manipulación, de coquetería había en los trazos de la una era en la otra pudor, delicadeza y timidez. Un aspecto de virgen, grandes ojos azules llenos de interés, una piel resplandeciente, un talle fino y ligero, un tono de voz emotivo, la más bella alma y el carácter más dulce, dientes de marfil y hermosos cabellos rubios, éste es el croquis de esta encantadora hermana menor, cuyas ingenuas gracias y deliciosos rasgos son demasiado finos como para no escapar al pincel que deseara plasmarlos.

Se dieron veinticuatro horas a ambas para abandonar el convento, dejándoles el cuidado de ir con sus cien escudos donde bien les pareciera. Juliette, encantada de ser dueña de sí misma, quiso por un momento enjugar las lágrimas de Justine, pero viendo que no lo lograba, en lugar de consolarla, empezó a reñirla, diciéndole que era tonta y que con la edad y el aspecto que tenían no había precedente de que unas muchachas pudieran morir de hambre; le citó a la hija de una de sus vecinas, que, huida de la mansión de los padres, ahora era mantenida en la riqueza por un gran propietario y se paseaba por París en carroza. Justine se horrorizó ante este pernicioso ejemplo, dijo que preferiría morir a seguirla, y rehusó firmemente a aceptar vivir con su hermana al verla decidida al abominable tipo de vida del que Juliette hacía el elogio.

Las dos hermanas se separaron, entonces, sin promesa alguna de volverse a ver, dado que sus intenciones resultaban tan diferentes. Juliette, que, según ella, iba a convertirse en una gran dama, ¿iba a rebajarse a volver a ver a una jovencita, cuyas intenciones *virtuosas* y bajas iban a deshonrarla, y Justine, por su parte, iba a querer poner en peligro sus buenas costumbres, frecuentando a una criatura perversa, que iba a ser víctima de la crápula y el libertinaje públicos? Cada cual, pues, buscó sus cosas y abandonó el convento al día siguiente, como se había convenido.

Justine, a la que cuando era niña mimaba la costurera de su madre, imaginó que aquella mujer sería sensible a su destino y fue a buscarla, le contó su desgraciada situación, le pidió trabajo y fue duramente rechazado...

—¡Oh, cielos! —dijo aquella pobre criatura—, ¿era preciso que el primer paso que doy en el mundo me condujera ya al dolor?... Esta mujer, en otro tiempo, me amaba, ¿por qué, pues, hoy me rechaza? Ay, es porque soy huérfana y pobre... porque no tengo recursos en el mundo y porque no se aprecia a la gente sino en razón de la ayuda o del placer que de ella se imagina poder recibir.

Visto esto, Juliette fue a buscar al cura de su parroquia, le pidió consejo, pero el caritativo eclesiástico le respondió equívocamente que la parroquia estaba sobrecargada, que era imposible que pudiera recibir parte de las limosnas, que, sin embargo, si quería ponerse a su servicio, con mucho gusto la albergaría en su casa; pero, como al decir esto, el santo varón le había pasado la mano bajo la barbilla, dándole un beso demasiado mundano para un hombre de la Iglesia, Justine, que le había entendido demasiado bien, se retiró a toda prisa, diciéndole:

—Señor, no os pido ni limosna ni un puesto de criada, hace demasiado poco tiempo que he abandonado una situación superior a la que puede inducir a solicitar estas dos gracias como para verme reducida a ello; os pido consejo, del que mi virtud y mi desgracia tienen necesidad, y vos queréis hacérmelo pagar con un crimen...

El cura, irritado por este término, le abre la puerta, la echa brutalmente, y Justine, rechazada por dos veces el primer día en que se ve condenada a la soledad, entra en una casa en la que ve un letrero, alquila una pequeña habitación amueblada, la paga por adelantado y se entrega al menos libremente a la pena que le inspiran su situación y los pocos individuos a los que su desafortunada estrella le ha llevado a ver.

El lector nos permitirá que la abandonemos un momento en este sombrío recinto para volver a Juliette, y para hacerle saber lo más brevemente posible cómo, en quince años, pasó del simple estado en que la conocimos a ser mujer con títulos, poseyendo más de veinte mil libras de renta, bellísimas joyas, dos o tres casas en el campo y en París, y, de momento, el corazón, la riqueza y la confianza del señor de Corville, consejero de Estado, hombre del mayor crédito y en vísperas de ser ministro... El camino fue espinoso... como puede suponerse, y es mediante el aprendizaje más vergonzoso y duro como estas señoritas labran su ruta, habiendo quien hoy está en la cama de un príncipe y lleva quizá las marcas humillantes de la brutalidad de los libertinos depravados, entre cuyas manos la arrojaron al principio su juventud e inexperiencia.

Al salir del convento, Juliette fue sencillamente a buscar a una mujer de la que había oído hablar a aquella amiga vecina suya que se había pervertido, y de la que tenía las señas; llega descaradamente con su paquete bajo el brazo, un vestidito en desorden, el rostro más bello del mundo y su aire de novicia; cuenta su historia a esta mujer, le suplica que la proteja como lo hizo unos años antes con su antigua amiga.

—¿Qué edad tenéis, hija mía? —le pregunta la señora Du Buisson.

—Dentro de unos días, quince años, señora.

—¿Y nunca nadie...?

—¡Oh, no, señora, os lo juro!

—Pero es que a veces, en los conventos, un capellán..., una religiosa, una compañera...; necesito pruebas seguras.

—El procurároslas es asunto vuestro, señora...

Y la Du Buisson se coloca unas gafas y confirma por sí misma la situación exacta de las cosas, diciendo a Juliette:

—Y bien, hija mía, no tenéis más que quedaros aquí, mucha sumisión a mis consejos, un gran fondo de complacencia para mis prácticas, limpieza, economía, candor conmigo, urbanidad con vuestras compañeras y picardía con los hombres, y dentro de unos años estaréis en situación de retiraros a una habitación con su cómoda, su alacena, una criada, y el arte que habréis aprendido en mi casa hará lo demás.

La Du Buisson se apoderó del paquete de Juliette, le preguntó si no tenía dinero, y como aquélla le confesara demasiado francamente que tenía cien escudos, la buena mujer se apoderó de ellos, asegurando a su joven discípula que los colocaría provechosamente para ella, pero que no convenía que una muchacha tuviera dinero... era un medio de hacer el mal, y en un siglo tan corrompido una muchacha prudente y bien nacida debía evitar cuidadosamente todo lo que pudiese hacerla caer en una trampa. Acabado el sermón, la recién llegada fue presentada a sus compañeras, le indicaron su habitación en la casa y, a partir del día siguiente, sus primicias fueron puestas a la venta; en cuatro meses la misma mercancía fue sucesivamente vendida a ochenta personas, que la pagaron todas como nueva, y no fue sino tras este noviciado espinoso que Juliette adquirió la patente de hermana conversa. A partir de este momento fue reconocida realmente como moza de la casa y compartió sus libidinosas fatigas..., otro noviciado; si en el primero, salvo alguna excepción, Juliette había servido a la naturaleza, en el segundo olvidó sus leyes: criminales investigaciones, vergonzosos placeres, sordos y crapulosos desenfrenos, gustos escandalosos y extraños, fantasías humillantes; todo ello fruto, por una parte, del deseo de gozar sin arriesgar la salud, y de otra, de una saciedad perniciosa que, embotando la imaginación, no la deja manifestarse más que mediante los excesos ni hartarse más que mediante la disolución... Juliette corrompió por completo sus costumbres en esta segunda escuela, y los triunfos que vio lograr al vicio degradaron totalmente su alma; sintió que, nacida para el crimen, al menos debería practicarlo a lo grande y renunciar a languidecer en una situación tan humillante y subalterna que, haciéndola cometer las mismas faltas, envileciéndola igualmente, no le proporcionaba, ni mucho menos, el mismo provecho. Gustó a un viejo desenfrenado que al principio sólo la hizo venir para una aventura de un cuarto de hora, y tuvo la habilidad de hacerse mantener magníficamente por él, y así, al fin, apareció en los espectáculos, en los paseos, al lado de los grandes nombres de la Orden de Citerea; la miraron, la citaron, la envidiaron y la bribona supo arreglárselas tan bien que, en cuatro años, arruinó a tres hombres, el más pobre de los cuales poseía cien mil escudos de renta. No necesitó más que establecer su reputación; la ceguera de las gentes del siglo es tal que cuanto más ha probado una de estas desgraciadas su deshonestidad, más se envidia figurar en su lista, parece que fuera una gloria pertenecer al rango de los engañados, encadenarse al carro de los dioses que coloca su orgullo y su poderío entre el número de engañados y parece como si el grado de corrupción y envilecimiento fuera la medida de los sentimientos de que por ella se debe hacer gala.

Juliette acababa de cumplir veinte años cuando el conde de Lorsange, gentilhombre de Angers, de unos cuarenta años, se enamoró hasta tal punto de ella que decidió darle su apellido, puesto que no era lo bastante rico para mantenerla; le reconoció doce mil libras de renta, le prometió el resto de su fortuna, que se elevaba a ocho en caso de que muriera antes que ella; le dio una casa, criados y una especie de consideración en la sociedad que en dos o tres años logróse hacer olvidar sus comienzos.

Fue entonces cuando la desgraciada Juliette, olvidando todos los sentimientos de su nacimiento honrado y de su buena educación, pervertida por los malos libros y los malos consejos, preocupada sólo de gozar, de tener un nombre y ninguna atadura, se atrevió a concebir el culpable pensamiento de acortar la vida de su marido... Lo concibió y ejecutó, desgraciadamente, con el secreto suficiente como para quedar al amparo de toda sospecha y sepultar con aquel esposo que la estorbaba todas las huellas de su abominable delito.

Libre y condesa, la señora de Lorsange volvió a sus antiguas costumbres, pero, creyéndose alguien en el mundo, se comportó con un poco más de decencia; ya no era una mantenida, era una rica viuda que daba animadas cenas, en casa de la cual la ciudad y la corte se sentían felices de ser recibidas, y que no obstante se acostaba con quien fuera por doscientos luises y se alquilaba por quinientos al mes. Hasta los veintiséis años siguió haciendo brillantes conquistas: arruinó a tres embajadores, cuatro terratenientes, dos obispos y tres caballeros al servicio del rey, y como es raro que alguien se pare después de un primer crimen, sobre todo cuando ha salido bien, Juliette, la desgraciada y culpable Juliette, se manchó con dos nuevos crímenes semejantes al primero, uno para robar a uno de sus amantes, que le había confiado una suma considerable que toda la familia de aquel hombre ignoraba, y que la señora de Lorsange pudo poner en lugar seguro gracias a este crimen odioso; y el otro, para disponer más pronto de un legado de cien mil francos que uno de sus adoradores había puesto a su favor en su testamento a nombre de un tercero, que debía entregar la suma por una módica retribución. A estos horrores, la señora de Lorsange añadió dos o tres infanticidios; el temor a estropear su fino talle, el deseo de ocultar una doble intriga, todo le hizo tomar la decisión de abortar varias veces, y estos crímenes, tan ignorados como los otros, no impidieron a esta criatura hábil y ambiciosa encontrar nuevas víctimas y seguir aumentando su fortuna mientras acumulaba sus crímenes. Desgraciadamente, no es sino demasiado cierto que la prosperidad puede acompañar al crimen, y que en el propio seno del desorden y la corrupción más premeditada todo lo que los hombres llaman felicidad puede dorar el curso de la vida; pero que esta cruel y fatal verdad no alarme a nadie, que aquella de la que vamos a dar ejemplo contrario, de la desgracia que por todas partes persigue a la virtud, no atormente el corazón de las gentes honestas. Esta prosperidad del crimen no es más que aparente; independientemente de la providencia, que necesariamente debe castigar tales hechos, el culpable alimenta en el fondo de su corazón a un gusano que le roe sin cesar y le impide gozar de ese resplandor de felicidad que le rodea, y en su lugar no le deja sino el desgarrador recuerdo de los crímenes que se la han proporcionado. Respecto a la desgracia que atormenta a la virtud, el infortunado a quien el destino persigue tiene como consuelo a su conciencia, y los secretos goces que obtiene de su pureza le compensan de la injusticia de los hombres.

Ésta era, pues, la situación de los asuntos de la señora de Lorsange cuando el señor de Corville, de cincuenta años de edad y en posesión de la reputación que más arriba hemos pintado, decidió sacrificarse enteramente por esta mujer y unirla resueltamente a él. Fuera por atención, procedimiento o sabiduría de parte de la señora de Lorsange, lo había conseguido y hacía cuatro años que vivía con ella absolutamente como con una esposa legítima, cuando una tierra soberbia que acaba de comprarle cerca de Montargis les había determinado a ambos a ir a pasar a ella unos meses de verano. Una tarde del mes de junio, en que la belleza del tiempo les había animado a ir a pasearse hasta la ciudad, demasiado cansados para volver del mismo modo, habían entrado en la posada donde para el coche de Lyon, con idea de enviar desde allí a un hombre a caballo a buscarles un coche al castillo. Descansaban en una sala baja y fresca que daba sobre el patio, cuando el coche del que acabamos de hablar entró en la casa. Es una diversión natural el observar a los pasajeros; no hay nadie que en un momento de desocupación no lo llene con esta distracción cuando se presenta. La señora de Lorsange se levantó, su amante la siguió y vieron entrar en la posada a toda la compañía viajera. Parecía que ya no quedaba nadie en el coche, cuando un caballero de la gendarmería, al bajar del pescante, recibió en sus brazos, de uno de sus camaradas igualmente encaramado en el mismo lugar, a una joven de alrededor de veintiséis o veintisiete años envuelta en un burdo mantón de indiana y atada como una criminal. Ante el grito de horror y de sorpresa que se le escapó a la señora de Lorsange, la muchacha se volvió y dejó ver unos rasgos tan dulces y delicados, un talle tan fino y esbelto, que el señor de Corville y su amante no pudieron evitar interesarse por esta miserable criatura. El señor de Corville se acerca y pregunta a uno de los caballeros lo que había hecho aquella infortunada.

—A fe mía, señor —respondió el alguacil—, que se la acusa de tres o cuatro crímenes enormes; se trata de robo, de asesinato y de incendio, pero os confieso que ni mi compañero ni yo hemos conducido nunca a un criminal con tanta repugnancia; es la más dulce de las criaturas y, a lo que parece, la más honrada...

—¡Ah! —dijo el señor de Corville—, ¿no podría tratarse de uno de esos yerros corrientes en los tribunales subalternos? ¿Y dónde se cometió el delito?

—En una posada a tres leguas de Lyon; es en Lyon donde la han juzgado, y va París para la confirmación sentencia, y volverá para ser ejecutada en Lyon.

La señora de Lorsange, que se había acercado y escuchaba el relato, expresó en voz baja al señor de Corville el deseo que tenía de oír de la boca de aquella muchacha la historia de sus desgracias, y el señor de Corville, que experimentaba también el mismo deseo, lo comunicó a los conductores de la muchacha, dándose a conocer a ellos; éstos no se opusieron en absoluto, decidieron que habría que pasar la noche en Montargis, pidieron un apartamento cómodo, cerca del cual había otro para los caballeros, el señor de Corville respondió de la prisionera, la desataron, pasó al apartamento del señor de Corville y la señora de Lorsange, los guardianes cenaron y durmieron al lado; y una vez que hicieron tomar algo de alimento a la desgraciada, la señora de Lorsange, que no podía evitar tomar el mayor interés por ella, y que sin duda se decía a sí misma: «Esta miserable criatura, quizás inocente, es tratada sin embargo, como una criminal, mientras que todo prospera a mi alrededor, en tanto a mí, que soy con seguridad más criminal que ella...», la señora de Lorsange, digo, en cuanto vio a aquella muchacha un poco repuesta, un poco consolada por las caricias que se le hacían y por el interés que parecía tomarse por ella, la animó a contar por qué motivo, con una apariencia tan honrada y prudente, se encontraba en tan funesta circunstancia.

—Contaros la historia de mi vida, señora —dijo la bella infortunada, dirigiéndose a la condesa— es ofreceros el más patente ejemplo de las desgracias de la inocencia. Es acusar a la providencia, es quejarse de ella, es una especie de crimen y yo no me atrevo a él...

Corrieron entonces abundantes lágrimas de los ojos de aquella pobre muchacha, y después de haberles dado rienda suelta un momento, empezó su relato en estos términos.

—Me permitiréis, señora, que oculte mi nombre y mi nacimiento, que, sin ser ilustre, es honrado, y sin la fatalidad de mi estrella yo no estaba destinada a la humillación de la que la mayor parte de mis desgracias han nacido. Perdí muy joven a mis padres, creí poder, con lo poco que me habían dejado, poder alcanzar un puesto honorable, y rechazando constantemente todos los que no lo eran, me comí sin darme cuenta lo poco que me había correspondido; cuanto más pobre me hacía, más despreciada era; cuanto más necesitaba ayuda, menos esperaba obtenerla o más indignas e ignominiosas eran las que se me ofrecían. De todas las durezas que experimenté en esta desgraciada situación, de todas las proposiciones horribles que se me hicieron, no os citaré sino lo que me sucedió en casa del señor Dubourg, uno de los más ricos financieros de la capital.

Me habían mandado a él como a uno de los hombres cuya reputación y riqueza podían más probablemente endulzar mi destino, pero los que me habían dado este consejo o querían engañarme o no conocían la dureza de alma de aquel hombre ni la depravación de sus costumbres. Tras haber esperado dos horas en su antecámara, fui al fin llevada a su presencia; el señor Dubourg, que tenía alrededor de cuarenta y cinco años, acababa de salir de su cama, envuelto en una bata flotante, que apenas ocultaba su desorden; se preparaban a peinarle, hizo retirarse a su criado y me preguntó qué quería de él.

—Ay, señor —le respondí—, soy una pobre huérfana, que aún no ha alcanzado la edad de catorce años y que ya conoce todos los matices del infortunio. Entonces le detallé mis reveses, la dificultad de hallar un empleo, la desgracia que había tenido de comerme lo poco que poseía para buscar uno, las negativas llevadas a cabo, la dificultad para encontrar labor o en una tienda o en mi habitación, y la esperanza que albergaba de que él me facilitaría medios de vida.

Tras haberme escuchado con bastante atención, el señor Dubourg me preguntó si siempre me había portado bien.

—No sería tan pobre ni estaría tan apurada, señor —le dije—, si hubiera querido dejar de hacerlo.

—Hija mía, me dijo entonces, ¿y a título de qué pretendéis que la opulencia os socorra si no le servís de nada?

—Servir, señor, es todo lo que pido.

—Los servicios de una niña como vos son poco útiles en una casa, no es de ésos de los que hablo, vos no tenéis ni la edad ni la constitución para colocaros como lo deseáis, pero podéis, con una sabiduría menos ridícula, aspirar a un destino honrado entre los libertinos. Y sólo a eso debéis aspirar; esa virtud de la que tanto presumís de nada sirve en el mundo, tenéis a gala alardear de ella y no os proporcionará ni un vaso de agua. Gente como nosotros, que tanto presumimos de dar limosna, es decir, de una de las cosas a las que menos nos dedicamos y que más nos repugnan, quieren ser compensadas por el dinero que sale de sus bolsillos, y ¿qué es lo que una niñita como vos puede dar en compensación de esas ayudas?

—Oh, señor, ¿no hay, pues, ya, ni beneficencia ni sentimientos honrados en el corazón de los hombres?

—Muy pocos, hija mía, muy pocos, ya se ha pasado esa manía de favorecer gratuitamente a los demás; el orgullo quizá se sintiera halagado un momento por ello, pero como hay tan quimérico y tan pronto disipado pero como hay goces, se han buscado otros más reales, y se ha comprendido que con una chiquilla como vos, por ejemplo, valía infinitamente más recoger como fruto todos los placeres que el libertinaje puede ofrecer que enorgullecerse de haberle dado una limosna. La reputación de un hombre liberal, limosnero, generoso, no vale para mí tanto como la más ligera sensación de los placeres que vos podéis ofrecerme, de modo que, de acuerdo en esto con toda la gente de mis gustos y de mi edad, convendréis, hija mía, en que no os ayude sino en razón de vuestra obediencia a todo lo que me plazca exigir de vos.

—¡Qué dureza, señor, qué dureza! ¿Creéis que el cielo no va a castigaros?

—Entérate, pequeña novicia, de que el cielo es lo que menos nos interesa del mundo; de que le guste o no lo que hacemos en la tierra es lo que menos nos inquieta del mundo; demasiado conscientes de su poco poder sobre los hombres, le desafiamos diariamente sin temblar y nuestras pasiones no tienen atractivo real más que cuando mejor transgreden sus intenciones, o al menos lo que unos tontos nos afirman ser tales, pero que no son en el fondo más que la ilusoria cadena con que la impostura ha querido cautivar al más fuerte.

—Pero, señor, con tales principios es preciso, pues, que el infortunado perezca.

—¿Qué importa? Hay en Francia más súbditos de los que se necesitan; el gobierno, que lo ve todo a lo grande, se preocupa bien poco de los individuos, con tal de que la máquina se conserve.

—Pero ¿creéis que los niños respetan a su padre cuando son maltratados por él?

—¿Qué le importa a un padre que tiene demasiados hijos el amor de los que no le son de ninguna utilidad?

—Valdría más que nos hubieran asfixiado al nacer.

—Poco más o menos, pero dejemos esta política de la que no debes entender nada. ¿Por qué quejarse de un destino al que sólo depende de uno mismo dominar?

—¡A qué precio, santo cielo!

—Al de una quimera, al de algo que no tiene otro valor que el que vuestro orgullo le asigna… pero dejemos también esta tesis y no nos ocupemos más que de lo que aquí nos atañe a ambos. Vos concedéis gran importancia a esta quimera, ¿no es verdad?, y yo muy poca de modo que la dejo para vos; los deberes que os impondré y por los que recibiréis una honrada retribución, serán de un tipo completamente diferente. Os colocaré al lado de mi ama de llaves, la serviréis y todas las mañanas, ante mí, unas veces esta mujer y otras mi mayordomo, os someterán a pruebas en que el espectáculo que tendrá sobre sus sentidos embotados me pueda producir tanto placer como la más voluptuosa de las mujeres en el más amoroso de los hombres.

Oh, señora, ¿cómo explicaros esta execrable proposición? Demasiado humillada al oír hacérmela, aturdiéndome por decirlo así, en el momento en que se pronunciaban las palabras… demasiado avergonzada para repetirlas, vuestra bondad tendrá a bien imaginarlas… El cruel me había nombrado a sus grandes sacerdotes, y yo debía servir de víctima…

—Eso es todo lo que puedo hacer por vos, hija mía —continuó aquel villano levantándose con indecencia—, y aún así no os prometo para esta ceremonia, siempre muy larga y espinosa, más que una duración de dos años. Vos tenéis catorce;

a los dieciséis años seréis libre para buscar fortuna en otra parte, y hasta entonces seréis vestida, alimentada y recibiréis un luis
al mes. Es honesto, no daba tanto a la que vais a sustituir; cierto
que ella no poseía como vos esa intacta virtud a la que tanto
valor dais, y que yo valoro, como veis, en alrededor de cincuenta escudos al año, suma que excede la que cobraba vuestra
predecesora. Pensadlo, pues, bien, pensad sobre todo en el estado de miseria en que os cojo, pensad que en el desgraciado
lugar en que os halláis es preciso que los que no tienen con qué
vivir sufran para ganarlo, y que siguiendo su ejemplo vos su-
friréis, de acuerdo, pero ganaréis mucho más que la mayor parte
de ellos.

Las indignas frases de aquel monstruo habían inflamado sus
pasiones, me agarró brutalmente por el cuello de mi vestido y
me dijo que, por ser la primera vez, iba a hacerme ver él mismo
que ocurría en ese instante cruel... Pero mi desgracia me dio
valor y fuerzas, logré desasirme y lanzándome hacia la puerta:

—Hombre odioso —le dije escapándome—, pueda el cielo
al que tan cruelmente ofendes castigarte un día como lo me-
reces por tu odiosa barbarie, no eres digno ni de estas riquezas
de las que haces tan vil uso, ni siquiera del aire que respiras en
un mundo al que manchan tus ferocidades.

Volvía lentamente a mi casa sumida en estas reflexiones
tristes y sombrías, que necesariamente hacen nacer la crueldad
y la corrupción de los hombres, cuando un rayo de prosperidad
pareció lucir un instante ante mis ojos. La señora Desroches, en
cuya casa me alojaba y que conocía mis desgracias, vino a decirme que al fin había encontrado una casa en la que con gusto
me recibirían con tal de que me comportase bien.

—Oh, cielos, señora —le dije besándola con entusias-
mo—, esta condición es la que pondría yo misma, juzgad si la
acepto con placer.

El hombre al que debía servir era un viejo usurero que, según se decía, se había enriquecido no sólo prestando sobre

prendas, sino incluso robando impunemente a todo el mundo cada vez que había creído poder hacerlo sin riesgo. Vivía en la calle Quincampoix, en un primer piso, con una vieja amante a la que llamaba su esposa y que era por lo menos tan extraña como con él.

—Sophie —me dijo el avaro—, oh, Sophie —era el nombre que me había puesto para ocultar el mío—, la primera virtud que se precisa en mi casa es la probidad... si alguna vez sustraéis de aquí la décima parte de un céntimo os haré colgar, ya lo sabéis, Sophie, colgar hasta que no podáis volver en vos. Si mi esposa y yo gozamos de alguna dulzura en nuestra vejez, ello es el fruto de nuestros inmensos trabajos y de nuestra profunda sobriedad... ¿Coméis mucho, hija mía?

—Unas onzas de pan al día, señor —le contesté—, agua y un poco de sopa cuando tengo la suerte de tenerla.

—Sopa, caramba, sopa... mirad, amiga mía —dijo el viejo avaro a su mujer—, gemid ante el progreso del lujo. Ésta está buscando colocación desde hace un año, ésta se muere de hambre desde hace un año y quiere comer sopa. Apenas si nosotros la tomamos una vez cada domingo, nosotros, que trabajamos como forzados desde hace cuarenta años. Tendréis tres onzas de pan al día, hija mía, media botella de agua del río, un vestido viejo de mi esposa cada dieciocho meses para haceros sayas, y tres escudos de sueldo al cabo del año si estamos contentos de vuestros servicios, si vuestra economía responde a la nuestra y si, en fin, con vuestro orden y arreglo hacéis que la casa prospere un poco. Nuestro servicio es poca cosa, estáis sola, se trata de frotar y limpiar tres veces por semana este apartamento de seis habitaciones, de hacer la cama de mi esposa y la mía, de contestar a la puerta, de empolvar mi peluca, de peinar a mi esposa, de cuidar al perro, al gato y al loro, de ocuparse de la cocina, de limpiar sus utensilios se usen o no, de ayudar a mi mujer cuando nos prepara algo para comer, y de emplear el resto del día en hacer ropa interior, medias, bonetes y otros pequeños muebles del menaje. Ya veis que no es nada, Sophie, os quedará mucho tiempo libre, que os permitimos emplear por vuestra cuenta, así como hacer igualmente para vos la ropa interior y los vestidos que podáis necesitar.

Fácilmente podéis imaginar, señora, que había que encontrarse en el estado de miseria en que yo estaba para aceptar semejante colocación. No sólo había mucho más trabajo que el que mi edad y mis fuerzas me permitían emprender, sino que, ¿podía vivir con lo que me ofrecían? Sin embargo, me guardé bien de poner dificultades, y la misma noche me instalé.

Si la cruel posición en que me hallo, señora, me permitiera pensar en divertiros un instante cuando no debo pensar más que en emocionar vuestra alma a mi favor, me atrevo a creer que os alegraría contándoos los rasgos de avaricia de que fui testigo en aquella casa, pero en ella me esperaba, al segundo año, una catástrofe tan terrible para mí, que me resulta difícil, cuando pienso en ella, ofreceros detalles agradables antes de informaros de aquellos reveses. Sabed no obstante, señora, que en aquella casa jamás se usaban luces; las habitaciones del amo y el ama, afortunadamente orientadas frente al reverbero de la calle, les ahorraba otra ayuda, y jamás otra claridad les sirvió para meterse en la cama. En cuanto a la ropa interior, no la usaban en absoluto, había en las mangas de la chaqueta del señor, así como en las del vestido de la señora, un viejo par de manguitos cosidos a la tela, que yo lavaba todos los sábados por la noche para que estuviera presentable el domingo; nada de sábanas, nada de servilletas, y todo eso para evitar el lavado, cosa muy cara en una casa, según pretendía el señor Du Harpin, mi respetable amo. En su casa nunca se bebía vino, el agua clara era, según decía la señora Du Harpin, la bebida natural de la que los primeros hombres se servían, y la única que nos indica la naturaleza; cada vez que se cortaba el pan, se colocaba un cesto debajo para recoger lo que caía, se añadían con exactitud todas las migas que se hacían en las comidas, y todo ello frito el domingo con un poco de mantequilla rancia componía el plato de festín del día de descanso. Nunca había que sacudir los muebles ni los vestidos, por temor a gastarlos, sino rozarlos ligeramente con un plumero; los zapatos del señor y de la señora estaban forrados de hierro, y uno y otro guardaban aún con veneración los que les sirvieron el día de su boda; pero algo aún mucho más extraño era la práctica que se me hacía ejercitar regularmente una vez por semana. En el piso había un gabinete bastante grande cuyos muros no estaban empapelados; era preciso que, con un cuchillo, fuese a raspar cierta cantidad de yeso, que luego colaba en un tamiz fino, y lo que resultaba de esta operación se convertía en los polvos de tocador con los que cada mañana adornaba la peluca del señor y el moño de la señora. Quisiera Dios que estas hubiesen sido las únicas manías a las que se entregaran aquellas malas gentes; nada hay más natural que el deseo de conservar los propios bienes, pero lo que no lo es tanto es el deseo de doblarlos con los de los demás, y no tardé mucho en darme cuenta de que así era como el señor Du Harpin se hacía tan rico. Encima de nosotros vivía un particular muy acomodado, que poseía alhajas bastante bonitas y cuyos efectos, fuera a causa de la vecindad, fuera porque quizá le habían pasado por las manos, eran bien conocidos por mi amo. Con frecuencia le oía echar de menos con su mujer cierta caja de oro de treinta o cuarenta luises que había sido para él según decía, si su procurador hubiese tenido un poco más de inteligencia. Para consolarse, al fin, de haber devuelto aquella caja, el señor Du Harpin proyectó robarla, y fui yo la encargada de la operación.

Tras haberme dado un gran discurso sobre la indiferencia del robo, incluso sobre su utilidad en la sociedad, puesto que restablecía una especie de equilibrio que perturbaba totalmente la desigualdad de las riquezas, el señor Du Harpin me entregó una llave falsa, me aseguró que abría el apartamento del vecino, que encontraría la caja en una cómoda que nunca se cerraba, que la cogería sin ningún peligro y que por un servicio tan importante recibiría durante dos años un escudo más sobre mi sueldo.

—Oh, señor —exclamé, al saber esta proposición— ¿es posible que un amo intente corromper así a su doméstica? ¿Quién me impide hacer volverse contra vos todas las armas que ponéis en mi mano, y qué podríais objetarme razonablemente si, según vuestros principios, os robo a vos?

El señor Du Harpin, asombrado por mi respuesta, no atreviéndose a insistir más, pero guardándome un secreto rencor, me dijo que lo que hacía era para ponerme a prueba, que menos mal que me había resistido a aquel ofrecimiento insidioso por su parte, y que habría sido ahorcada si hubiese sucumbido. Me contenté con aquella respuesta, pero desde el primer momento me di cuenta no sólo de las desgracias que me amenazaban por semejante proposición, sino también de la equivocación que había cometido al responder tan firmemente. Sin embargo, no había término medio, o hubiera sido preciso que cometiese el crimen de que me hablaban, o se hacía necesario que rechazase tan duramente la proposición; con un poco más de experiencia habría abandonado la casa al instante, pero ya estaba escrito en la página de mi destino que cada uno de los impulsos honrados a que me condujera mi carácter debía tener como pago una desgracia, luego me era preciso sufrir mi suerte sin que me fuera posible escapar a ella.

El señor Du Harpin dejó pasar cerca de un mes, es decir poco más o menos hasta la época del final del segundo año de mi estancia en su casa, sin decir palabra, y sin manifestar el más mínimo resentimiento por la negativa que le había dado, hasta que un día, terminada mi tarea, yendo a retirarme a mi habitación para disfrutar en ella de unas horas de descanso, oí de pronto echar mi puerta abajo y vi no sin espanto al señor Du Harpin conduciendo a un comisario y a cuatro soldados al lado de mi cama.

—Haced vuestro deber, señor —dijo al hombre de justicia—, esta desgraciada me ha robado un diamante de mil escudos, lo encontraréis en su cuarto o en sus ropas, el hecho es inevitable.

—Yo haberos robado, señor —dije arrojándome acongojada a los pies de mi cama— -, yo, señor, oh, ¿quién mejor que vos sabe cuánto me repugna una acción semejante y cuán imposible es que yo la haya cometido?

Pero el señor Du Harpin hacía mucho ruido para que mis palabras no fuesen oídas, continuó ordenando las pesquisas, y la desgraciada sortija fue hallada en uno de mis colchones. Con pruebas de tal fuerza no había nada que replicar, al instante fui prendida y conducida a la prisión del palacio de justicia, sin que ni siquiera me fuera posible hacer oír una palabra de todo lo que hubiera podido decir para justificarme.

El proceso de una infortunada que no tiene ni crédito ni protección se liquida rápidamente en Francia. Se piensa que la virtud es incompatible con la miseria, y el infortunio, en nuestros tribunales, es una prueba completa contra el acusado; una injusta prevención hace creer que el que ha debido cometer el crimen lo ha cometido efectivamente, los sentimientos se miden por el estado en que se os halla, y en cuanto los títulos o la fortuna no demuestran que debéis ser honrado, la imposibilidad de que lo seáis queda probada inmediatamente, debido a los prejuicios que degradan a la magistratura francesa y que sería de agradecer que la autoridad soberana destruyera como bien se lo merecen.

Por mucho que me defendiera, que proporcionara los mejores argumentos al abogado de oficio que me dieron por un momento, mi amo me acusaba, el diamante se había encontrado en mi habitación: estaba claro que lo había robado. Cuando quise citar el horrible gesto del señor Du Harpin y demostrar que la desgracia que me ocurría no era sino una consecuencia de la venganza y del deseo que tenía de deshacerse de una criatura que, al poseer su secreto, se hacía dueña de su reputación, se trató a estas quejas de recriminaciones, me dijeron que el señor Du Harpin era conocido desde hacía cuarenta años como hombre íntegro e incapaz de tal horror, y me vi en trance de ir a pagar con mi vida la negativa que había dado a participar en un crimen, cuando un acontecimiento inesperado vino, al dejarme libre, a lanzarme a los nuevos reveses que aún me esperaban en el mundo.

Una mujer de cuarenta años, a la que llamaban la Dubois, célebre por horrores de todas clases, y más todavía por su carácter, estaba igualmente en vísperas de sufrir una condena a muerte, más merecida al menos que la mía, puesto que sus crímenes estaban probados y a mí era imposible encontrarme alguno. Yo había inspirado a esta mujer cierto interés; una noche, poco días antes de que una y otra debiéramos perder la vida, me dijo que no me acostara, sino que me quedara con ella sin afectación, lo más cerca que pudiera de las puertas de la prisión.

—Entre la medianoche y la una —prosiguió aquella feliz desalmada—, habrá fuego en la casa… es obra mía, quizás alguien se queme, poco importa, lo que es seguro es que nosotras nos salvaremos; tres hombres, cómplices y amigos míos, se unirán a nosotros, y yo respondo de tu libertad.

La mano del cielo, que acababa de castigar la inocencia en mi persona, sirvió al crimen en la de mi protectora; hubo fuego, el incendio fue horrible, diez personas se quemaron, pero nosotras nos salvamos; el mismo día llegamos a la cabaña de un cazador furtivo del bosque de Bondy, especie distinta de bribón, pero uno de los íntimos amigos de nuestra banda.

—Hete aquí libre, mi querida Sophie —me dijo entonces la Dubois—, ahora puedes elegir el tipo de vida que te agrade, pero si he de darte un consejo, es el de renunciar a practicar la virtud, que como ves nunca te ha servido de nada; una delicadeza impropia te ha conducido al pie del cadalso, un crimen espantoso me salva de él; mira para lo que sirve el bien en el mundo, y si vale la pena de inmolarse por él. Tú eres joven y bonita, si quieres yo me encargo de tu fortuna en Bruselas; voy allí, es mi patria; en dos años te sitúo en el pináculo, pero te advierto de que no será en absoluto por los estrechos senderos de la virtud por los que te llevaré a la fortuna; a tu edad hay que emprender más de un oficio y servir a más de una intriga cuando se quiere hacer camino rápidamente... Emplearemos todo: la voluptuosidad, la picardía, la mentira, el robo, el asesinato. Ya me entiendes, Sophie... ya me entiendes, decídete, pues, rápido, ya que no podemos descansar en este lugar, aquí no estamos seguras sino durante unas horas.

—Oh, señora —dije a mi bienhechora—, estoy en gran deuda con vos, me habéis salvado la vida, estoy sin duda desesperada al deberlo a un crimen y podéis estar segura de que si hubiera tenido que participar en él hubiera preferido perecer a hacerlo. Sé muy bien los peligros que he corrido por haberme abandonado a los sentimientos de honradez que siempre germinarán en mi corazón, pero sean cuales sean las espinas de la virtud, siempre las preferiré a los falsos resplandores de prosperidad, peligrosos favores que por un instante acompañan al crimen. Existen en mí ideas religiosas que gracias al cielo jamás me abandonarán. Si la providencia me hace penosa la carrera de la vida, es para compensarme más ampliamente en un mundo mejor; esta esperanza me consuela, suaviza todas mis penas, apacigua mis lamentos, me fortifica en la adversidad y me hace desafiar todos los males que le plazca ofrecerme. Esta alegría se apagaría inmediatamente en mi corazón si fuera a mancharlo con el crimen, y al temor de reveses aún más terribles en este mundo añadiría el horroroso aspecto de los castigos que la justicia celestial reserva en el otro a quienes la ultrajan.

—Estos son sistemas absurdos que pronto te llevarán a la mendicidad, de donde nadie te podrá rescatar, hija mía —dijo la Dubois frunciendo el ceño—, créeme, deja en paz a la justicia celestial, a tus castigos o a tus recompensas venideras, todas esas tonterías no sirven más que para olvidarlas al salir de la escuela, o para hacerle a uno morir de hambre si se tiene la estupidez de creerlas. La dureza de los ricos hace legítima la pillería de los pobres, hija mía; que su bolsa se abra a nuestras necesidades, que en su corazón impere la humanidad y las virtudes podrán establecerse en el nuestro, pero mientras nuestro infortunio, nuestra paciencia para soportarlo, nuestra buena fe, nuestro servilismo no sirvan más que para reforzar nuestras cadenas, nuestros crímenes serán obra de ellos y bien tontos seríamos si nos privásemos de ellos para así aminorar un poco el yugo con el que nos uncen. La naturaleza nos ha hecho nacer a todos iguales, Sophie; si el destino se complace en perturbar este primer plan de las leyes generales es cosa nuestra el corregir sus caprichos y el reparar con nuestra habilidad las usurpaciones de los más fuerte... Me gusta oír a esos ricos, a esos jueces, a esos magistrados, me gusta verles predicarnos la virtud; es difícil garantizarse contra el robo cuando se tiene tres veces más de lo que hace falta para vivir, qué difícil resulta no pensar nunca en el asesinato cuando se está rodeado únicamente de aduladores o de esclavos sumisos, es realmente enormemente penoso ser sobrio y templado cuando la voluptuosidad les embriaga y los más suculentos alimentos les rodean, les cuesta mucho ser francos cuando jamás para ellos el mentir presenta un interés cualquiera. Pero nosotras, Sophie, nosotras a quien esa bárbara providencia de la que tienes la locura de hacer tu ídolo ha condenado a arrastrarnos por el suelo como la serpiente por la hierba, nosotras a las que no se mira sino con desdén, porque somos pobres, a las que se humilla porque somos débiles, nosotras que, en fin, no hallamos sobre la superficie del globo más que hiel y espinas, ¿quieres que luchemos contra el crimen cuando sólo su mano abre la puerta de la vida, nos conserva en ella, o nos impide perderla? ¿Quieres que perpetuamente sometidas y humilladas, mientras esa clase que nos domina goza de todos los favores de la fortuna, no tengamos para nosotras más que el dolor, el abatimiento y la pena, la necesidad y las lágrimas, la mortificación y el cadalso? No, no, Sophie, no, o bien esta providencia que reverencias no está hecha más que para nuestro desprecio, o bien sus intenciones son otras... Conócela mejor, Sophie, conócela mejor y convéncete de que desde el momento en que nos sitúa en una posición en que el mal se nos hace necesario, y en que al mismo tiempo nos deja la libertad de ejercerlo, es que este mal sirve a sus leyes igual que el bien y que la providencia tanto gana con uno como con otro. El estado en que nos crea es el de igualdad, quien la perturba no es más culpable que quien intenta restablecerla, los dos obran según impulsos recibidos, los dos deben seguirlos, ponerse una venda en los ojos y gozar.

Confieso que si alguna vez me sentí estremecida fue ante los consejos de esta hábil mujer, pero una voz más fuerte que la suya combatía sus sofismas en mi corazón, la escuché más apasionada que las capciosas propuestas de esta hábil mujer, no vacilé en rendirme a ella y declaré por última vez que estaba decidida a no dejarme corromper jamás.

—Pues bien —me dijo la Dubois—, haz lo que quieras, te abandono a tu aciaga suerte, pero si algún día te ahorcan, como no puede dejar de ocurrirte por la fatalidad que, mientras salva al crimen, inmola inevitablemente a la virtud, acuérdate al menos de no hablar nunca de nosotros.

Mientras así razonábamos, los tres compañeros de la Dubois bebían con el cazador furtivo, y como el vino posee generalmente el arte de hacer olvidar los crímenes del malhechor y de animarle con frecuencia a renovarlos al mismo borde del precipicio del que acaba de escapar, nuestros facinerosos, al verme decidida a escapar de sus manos, tuvieron ganas antes de divertirse a mis expensas. Sus principios, sus costumbres, el sombrío local en que nos hallábamos, la especie de seguridad que creían disfrutar, la embriaguez, mi edad, mi inocencia y mi aspecto, todo les animó. Se levantaron de la mesa, tomaron consejo entre ellos, consultaron a la Dubois, procedimientos todos cuyo misterio me hacía temblar de horror, y el resultado al fin fue que tuviera que decidirme, antes de partir, a pasar por las manos de los cuatro, por gracia o por fuerza; que si lo hacía de buen grado me darían un escudo cada uno para conducirme donde quisiera, puesto que me negaba a acompañarles; que si era preciso emplear la fuerza para decidirme, la cosa se haría igual, pero para que el secreto quedara guardado, el último de los cuatro que gozara de mí me hundiría un cuchillo en el seno y luego me enterrarían al pie de un árbol. Os dejo imaginar, señora, el efecto que me hizo aquella execrable proposición; me arrojé a los pies de la Dubois, la conjuré a que fuera por segunda vez mi protectora, pero la desalmada no hizo más que reírse de una situación horrorosa para mí, y que no le parecía más que una miseria.

—Oh, pero vamos —dijo—, hete aquí bien desgraciada, obligada a servir a cuatro mozos con ese tipo. Hay diez mil mujeres en París, hija mía, que darían un montón de escudos por estar en tu lugar… Escucha —añadió sin embargo, al cabo de un momento de reflexión—, tengo bastante fuerza sobre esos pillos para obtener tu perdón si quieres hacerte digna de él.

—Desgraciadamente, señora, ¿qué es lo que hay que hacer? —exclamé llorando—. Mandádmelo, estoy preparada.

—Seguirnos, tomar partido por nosotros y cometer las mismas cosas sin la más ligera repugnancia, y a este precio te garantizo lo demás.

No creí deber dudar; al aceptar corría nuevos peligros, de acuerdo, pero todos eran menos acuciantes que éste, podía evitarlos, mientras nada podía hacerme escapar a los que me amenazaban.

—Iré a todas partes, señora —dije a la Dubois—, iré a todas partes, os lo prometo, salvadme del furor de esos hombres y no os abandonaré jamás.

—Hijos —dijo la Dubois a los cuatro bandidos—, esta

chica es de la banda, yo la recibo en ella, yo la instalo en ella; os
prohibo violentarla, no la asqueemos del oficio desde el primer
día, ya veis hasta qué punto pueden sernos útiles su edad y su
aspecto; sirvámonos de ellos para nuestros intereses y no la sa-
crifiquemos a vuestros placeres...

Pero las pasiones alcanzan en el hombre un grado en el que
ninguna voz puede dominarlas; las gentes con las que tenía que
entendérmelas no estaban en situación de oír nada. Presentán-
dose a mí los cuatro a la vez en el estado menos apropiado para
que pudiera envanecerme de mi gracia, declararon unánimemente a la Dubois que aunque estuviera allí el cadalso sería
preciso que yo fuese su presa.

—Primero la mía —dijo uno de ellos, sujetándome.

—¿Y por qué tienes que ser tú el que empiece? —dijo el
segundo, empujando a su compañero y arrancándome brutalmente de sus manos.

—¡Rediez!, iréis después que yo —dijo el tercero.

Y como la disputa se calentaba, nuestros cuatro campeones
se agarraron del pelo, se echan al suelo, se pelean, se golpean, y
yo, feliz al verlos en una situación que me da tiempo para escapar, mientras la Dubois se ocupa de separarlos, me abalanzo,
gano el bosque y en un instante pierdo de vista la casa.

—Ser supremo —dije poniéndome de rodillas, en cuanto
me creo segura—, ser supremo, mi verdadero protector y guía,
dígnate tener piedad de mi miseria; ya ves mi debilidad y mi
inocencia, ya ves con qué confianza pongo en ti toda mi esperanza; dígnate arrancarme a los peligros que me acechan o, por
una muerte menos ignominiosa que aquella a la que acabo de
escapar, dígnate al menos llamarme rápidamente a ti.

La plegaria es el más dulce consuelo del desgraciado, que se
siente más fuerte cuando ha rezado. Me levanté llena de valor,
y como empezaba a estar oscuro me interné en un soto para
pasar la noche en él con menos riesgo; la seguridad en la que me
creía, el abatimiento en que estaba, la poca alegría que acababa

de saborear, todo contribuyó a hacerme pasar una buena noche, y el sol estaba ya muy alto cuando mis ojos se volvieron a abrir a la luz. El instante del despertar es el más fatal para los infortunados; la calma de las ideas, el olvido momentáneo de sus males, todo les llama a la desgracia con más fuerza, todo les hace entonces su carga más onerosa.

Pues bien, me dije, ¿es cierto, pues, que hay criaturas humanas a las que la naturaleza destina al mismo estado que los animales feroces? Ocultas en su cubil, huyendo como ellos de los hombres, ¿qué diferencia existe ahora entre ellas y yo? ¿Vale la pena nacer para un destino tan lamentable? Y mis lágrimas corrieron con abundancia al realizar estas tristes reflexiones. Apenas las terminaba, cuando oí ruido a mi alrededor; por un momento creí que era algún animal, pero poco a poco distinguí las voces de dos hombres. Presté atención.

—Ven, amigo mío, ven —dijo uno de ellos—; aquí estaremos de maravilla; la cruel y fatal presencia de mi madre no me impedirá al menos saborear un momento contigo los placeres que me son tan queridos...

Se acercan, se colocan tan en frente de mí, que ninguna de sus frases, ninguno de sus movimientos puede escaparme, y veo...

Santo cielo, señora —dice Sophie interrumpiéndose—, ¿es posible que el destino nunca me haya colocado sino en situaciones tan críticas que se haga tan difícil al pudor oírlas como pintarlas?... Ese crimen horrible que ultraja por igual a la naturaleza y a las leyes, esa fechoría espantosa sobre la que la mano de Dios ha descargado tantas veces, esa infamia, en una palabra, tan nueva para mí que apenas la concebía, la vi consumar ante mis ojos con todas las búsquedas impuras, con todos los episodios horribles que en ella podía poner la más premeditada depravación.

Uno de aquellos hombres, el que dominaba al otro, tenía veinticuatro años, llevaba un abrigo verde e iba lo bastante correctamente vestido como para hacer creer que su condición debía ser honesta; el otro parecía un joven doméstico de su casa, de alrededor de diecisiete o dieciocho años y de muy bello rostro. La escena fue tan larga como escandalosa, y aquel tiempo me pareció tanto más cruel cuanto que no me atreví a moverme por temor a ser vista.

Al fin, los criminales actores que la componían, saciados, sin duda, se levantaron para volver al camino que debía conducirles a su casa, cuando el amo se aproximó al arbusto que me ocultaba para satisfacer una necesidad. Mi gorro me traicionó, él lo vio.

—Jazmín, querido —dijo a su joven Adonis—, hemos sido traicionados... Una muchacha, una profana, ha visto nuestros misterios; acércate, saquemos a esta golfa de aquí y veamos qué es lo que hace.

No les di el trabajo de ayudarme a salir de mi refugio; arrancándome de él inmediatamente yo misma y cayendo a sus pies:

—¡Oh!, señores —exclamé extendiendo los brazos hacia ellos—, dignaos tener piedad de una desgraciada cuya suerte es más lamentable de lo que creéis; pocos reveses hay que puedan igualar a los míos. La situación en que me habéis hallado no debe hacer nacer ninguna sospecha sobre mí, es obra de mi miseria antes que de mi culpa; lejos de aumentar la suma de los males que me afligen tened a bien, por el contrario, disminuirla, facilitándome los medios para escapar al rigor que me persigue.

El señor de Bressac, que éste era el nombre del joven en manos del cual acababa de caer, con un gran fondo de libertinaje en el espíritu, no estaba provisto de una dosis demasiado abundante de conmiseración en el corazón. Desgraciadamente no es sino demasiado habitual el ver a la intemperancia de los sentidos apagar absolutamente la piedad en el hombre; su efecto ordinario es el endurecimiento, sea que la mayor parte de sus excesos necesite una especie de apatía en el alma, sea que la sacudida violenta que imprime a la masa de los nervios disminuya la sensibilidad de su acción, el hecho es que un libertino de profesión raramente es un hombre piadoso. Pero a esta crueldad natural en el espíritu de las gentes, cuyo carácter estoy esbozando, se unía en el señor de Bressac una repugnancia tan marcada por nuestro sexo, un odio tan inveterado por todo lo que le caracterizaba, que era difícil que yo lograse hacer entrar en su alma los sentimientos con que quería conmoverle.

—En fin, ¿qué haces ahí, tórtola de los bosques? —me dijo bastante duramente, por toda respuesta, aquel hombre al que deseaba enternecer—. Di la verdad, tú has visto lo que ha ocurrido entre este joven y yo, ¿no es cierto?

—Yo no, señor —exclamé inmediatamente, no creyendo hacer ningún mal al disfrazar la verdad—; estad seguro de que no he visto más que cosas normales; os he visto a vos, señor, y a vos, sentados sobre la hierba, he creído ver que habéis charlado un momento; estad seguros de que eso es todo.

—Quiero creerlo —respondió el señor de Bressac— en beneficio tuyo, ya que si imaginase que hubieses podido ver otra cosa nunca saldrías de este arbusto… Vamos Jazmín, es temprano; tenemos tiempo de escuchar las aventuras de esta furcia; que nos las cuente al momento, luego la ataremos a ese grueso roble y probaremos nuestros cuchillos de caza en sus veras.

Nuestros jóvenes se sentaron, me ordenaron que me colocara cerca de ellos, y yo les conté ingenuamente todo lo que me había ocurrido desde que estaba en el mundo.

—Vamos, Jazmín —dijo el señor de Bressac, levantándose en cuanto terminé—, seamos justos por una vez en nuestra vida, querido mío, la equitativa Temis ha condenado a esta golfa, no evitemos que los designios de la diosa sean tan cruelmente frustrados y hagamos sufrir a la criminal la sentencia en la que iba a incurrir. No es un crimen el que vamos a cometer, es una virtud amigo mío, es un restablecimiento del orden moral de las cosas, y puesto que tenemos la desgracia de perturbarlo algunas veces, restablezcámoslo valerosamente al menos cuando la ocasión se presenta.

Y los crueles, tras quitarme de mi sitio, me arrastraban ya hacia el árbol indicado, sin emocionarse ni por mis gemidos ni por mis lágrimas.

—Atémosla en este sentido —dijo Bressac a su criado, apoyándome el vientre contra el árbol.

Sus ligas, sus pañuelos, todo sirvió, y en un minuto fui tan cruelmente amarrada que se me hizo imposible utilizar ninguno de mis miembros. Hecha esta operación, los facinerosos desataron mis faldas, levantaron mi camisa sobre los hombros y, teniendo en la mano sus cuchillos de caza, creí que iban a hendirlos en todas las partes posteriores que su brutalidad había descubierto.

—Basta —dijo Bressac, sin que yo hubiese recibido aún un solo golpe—, basta para que nos conozca y sepa lo que podemos hacerle para tenerla bajo nuestra dependencia. Sophie —continuó desatando mis ligaduras—, vestíos, sed discreta y seguidnos; si os unís a mí no tendréis que arrepentiros, hija mía, a mi madre le hace falta una segunda doncella, voy a presentaros a ella... Creyendo vuestro relato voy a responderle de vuestra conducta, pero si abusáis de mi bondad o traicionáis mi confianza, mirad bien este árbol que debía serviros de lecho fúnebre, acordaos de que no hay más que una legua desde el castillo al que os conduzco y que a la más ligera falta seréis inmediatamente traída aquí...

Apenas encontraba expresiones para dar las gracias a mi bienhechor; me eché a sus pies..., abracé sus rodillas, le hice toda clase de juramentos sobre mi buena conducta, pero tan insensible a mi alegría como a mi dolor.

—En marcha —dijo el señor de Bressac—, vuestra conducta es la que hablará por vos y sólo ella es la que regirá vuestro destino.

Caminamos, Jazmín y su amo charlaban juntos y yo les

seguía humildemente sin decir palabra; en una hora escasa estuvimos en el castillo de la señora condesa de Bressac y la magnificencia del entorno me hizo ver que fuera cual fuese el empleo que debiera ocupar en aquella casa sin duda sería más lucrativo para mí que el de ama de llaves jefe del señor y la señora Du Harpin. Me hicieron esperar en una antecocina, donde Jazmín me hizo desayunar; durante ese tiempo el señor de Bressac subió a ver a su madre, la previno y media hora después vino a buscarme para presentarme a ella.

La señora de Bressac era una mujer de cuarenta y cinco años, todavía muy bella, y que me pareció muy honesta y principalmente muy humana, aunque ponía un poco de severidad en sus principios y en sus frases. Viuda desde hacía dos años de un hombre de una gran casa, pero que se había casado con ella sin otra fortuna que el gran nombre que le daba, todos los bienes que podía esperar el joven marqués de Bressac dependían, pues, de esta madre, y lo que había recibido de su padre apenas le daba para mantenerse. La señora de Bressac añadía a ello una pensión considerable, pero faltaba mucho para que bastara a los gastos tan considerables como irregulares de su hijo; había al menos sesenta mil libras de renta en esta casa, y el señor de Bressac no tenía hermano ni hermana; nunca le habían podido decidir a entrar al servicio; todo lo que le apartara de sus placeres predilectos era para él tan insoportable que era imposible hacerle aceptar ninguna atadura. La señora condesa y su hijo pasaban tres meses al año en esta tierra y el resto del tiempo en París, y aquellos tres meses que ella exigía a su hijo que pasara con ella eran ya una gran molestia para un hombre que nunca abandonaba el centro de sus placeres sin sentir una gran pena.

El marqués de Bressac me ordenó que contara a su madre las mismas cosas que le había dicho a él, y en cuanto hube terminado mi relato:

—Vuestro candor y vuestra ingenuidad —me dijo la señora de Bressac— no me permiten dudar de vuestra inocencia. No tomaré otros informes sobre vos como no sea para saber si sois realmente como decís la hija del hombre que me indicáis; si es así, yo he conocido a vuestro padre, y eso será un motivo para interesarme más por vos. En cuanto a vuestro asunto en casa de Du Harpin, yo me encargo de arreglarlo en dos visitas al canciller, amigo mío desde hace siglos; es el hombre más íntegro que hay en Francia; no se trata más que de demostrarle vuestra inocencia para anular todo lo que se ha hecho contra vos y para que podáis reaparecer en París sin ningún temor… Pero pensad bien, Sophie, que todo lo que ahora os prometo es a cambio de una conducta intachable; ya veis que los reconocimientos que os exijo serán siempre en beneficio vuestro.

Me eché a los pies de la señora de Bressac, le aseguré que nunca le daría motivos más que de contento y en el acto fui instalada en su casa como segunda doncella. Al cabo de tres días las informaciones que había solicitado la señora de Bressac a París llegaron tal como yo podía desearlas, y todas las ideas de desgracia se desvanecieron al fin de mi espíritu para ser sustituidas por la esperanza de los más dulces consuelos que me fuera permitido esperar; pero en el cielo no estaba escrito que la pobre Sophie debiera ser feliz un día, y si para ella nacían unos momentos fortuitos de calma, no era sino para hacerle más amargos los de horror que debían seguirles.

Apenas estuvimos en París, la señora de Bressac se precipitó a trabajar por mí. El primer presidente quiso verme, escuchó mis desgracias con interés; mas profundizada, la golfería de Du Harpin fue reconocida, se convencieron de que si me había aprovechado del incendio de las prisiones del palacio, al menos no había participado en él para nada, y todo el proceso se anuló —me aseguraron— sin que los magistrados que se habían mezclado en él creyeran deber utilizar otras formalidades.

Es fácil imaginar hasta qué punto tales procedimientos me unían a la señora de Bressac; aunque no hubiera tenido, por otra parte, toda clase de bondades para mí, ¿cómo semejantes gestiones no me hubiesen vinculado para siempre a una tan preciosa protectora? Sin embargo, la intención del joven marqués de Bressac distaba mucho de ser la de atarme tan íntimamente a su madre. Independientemente de los horrorosos desórdenes del tipo del que os he pintado, en los que ciegamente se hundía aquel joven en París mucho más que en el campo, no tardé mucho en darme cuenta de que detestaba soberanamente a la condesa. Es cierto que ella hacía todo lo que podía para detener sus libertinajes o para contrariarlos, pero como quizás empleaba un rigor excesivo, el marqués, más inflamado por los propios efectos de esta severidad, no se entregaba a ellos sino con mayor frenesí y la pobre condesa no sacaba otra cosa de sus persecuciones sino el hacerse odiar soberanamente.

—No imaginéis —me decía con mucha frecuencia el marqués— que es por su voluntad por lo que mi madre actúa en todo lo que os interesa; creed, Sophie, que si yo no la urgiera en todo momento apenas se acordaría de los cuidados que os ha prometido; ella pone de relieve todos sus pasos, mientras han sido dirigidos por mí. Me atrevo a decir que es únicamente a mí a quien debéis algún reconocimiento, y el que os exijo ha de pareceros tanto más desinteresado cuanto que, como vos lo sabéis lo bastante para estar segura de ello, por bella que podáis ser no son vuestros favores los que pretendo... No, Sophie, no, los servicios que espero de vos son de otra clase, y cuando estéis convencida de todo lo que he hecho por vos espero encontrar en vuestra alma todo lo que tengo derecho a esperar de ella...

Estos discursos me parecían tan oscuros que no sabía cómo responder a ellos; lo hacía, sin embargo, al azar y quizá con demasiada facilidad.

Este es el momento de que conozcáis, señora, el único error real de que he tenido que reprocharme en mi vida... Y qué digo error, una extravagancia que nunca tuvo igual..., pero al menos eso no es un crimen, es una simple equivocación que no ha perjudicado sino a mí y de la que no creo que la equitativa mano del cielo se haya servido para arrastrarme al abismo que se abría insensiblemente bajo mis pies. Me había resultado imposible ver al marqués de Bressac sin sentirme atraída hacia él por un movimiento de ternura que nada había podido vencer. Por muchas reflexiones que me hiciese sobre su alejamiento de las mujeres, sobre la depravación de sus gustos, sobre las distancias morales que nos separaban, nada, nada en el mundo podía apagar aquella pasión naciente, y si el marqués me hubiera pedido mi vida se la habría sacrificado mil veces, creyendo encima que no hacía nada por él. Él estaba lejos de sospechar unos sentimientos que yo guardaba tan cuidadosamente encerrados en mi corazón...; estaba lejos, el ingrato, de adivinar la causa de las lágrimas que derramaba diariamente la desgraciada Sophie sobre los desórdenes vergonzosos que le perdían, pero le era, sin embargo, imposible ignorar el deseo que yo tenía de adelantarme a todo lo que podía agradarle, no era posible que no entreviera mis atenciones... Demasiado ciegas, sin duda, iban hasta el punto de servir incluso a sus errores, al menos en la medida que la decencia podía permitírmelo y de ocultárselos siempre a su madre. Este modo de comportarme me había granjeado en cierto modo su confianza, y todo lo que venía de él me era tan precioso, me cegaba tanto lo poco que me ofrecía su corazón, que a veces tuve el orgullo de creer que no le era indiferente, pero de qué modo el exceso de sus desórdenes me desengañaba rápidamente... Aquéllos eran tales que no sólo la casa estaba llena de criados de aquel execrable tipo a mi alrededor, sino que pagaba fuera de ella a una multitud de sujetos execrables, a casa de los cuales iba él e bien que venían a diario a la suya, y como ese gusto, por odioso que sea, no es uno de los más baratos, el marqués se metía prodigiosamente en gastos. Yo a veces me tomaba la libertad de hacerle ver todos los inconvenientes de su conducta; me escuchaba sin repugnancia, luego acababa por decirme que uno no se corregía del tipo de vicio que le dominaba, que se reproduce de mil diversas maneras y tiene ramas diferentes para cada edad, los cuales, volviendo cada diez años sus sensaciones totalmente nuevas, hacen mantenerse hasta la tumba a los que tienen la desgracia de sufrirlo... Pero si trataba de hablarle de su madre y de las penas que le infligía, no veía más que despecho, mal humor, irritación e impaciencia al ver en semejantes manos unos bienes que ya debían pertenecerle, el odio más inveterado contra aquella madre respetable y la rebeldía más tenaz contra los sentimientos de la naturaleza. ¿Sería, pues, cierto que cuando se han llegado a transgredir tan formalmente con los propios gustos las leyes de este órgano sagrado, la consecuencia necesaria de este primer crimen es una horrorosa facilidad para cometer impunemente todos los demás?

A veces yo utilizaba los medios de la religión; casi siempre consolada por ella, intentaba traspasar sus dulzores al alma de aquel perverso, casi segura de poderle cautivar con tales lazos si lograba hacerle participar de sus encantos. Pero el marqués no me dejó emplear tales métodos con él durante mucho tiempo; enemigo declarado de nuestros santos misterios, crítico obstinado de la pureza de nuestros dogmas, antagonista exasperado de la existencia de un ser supremo, el señor de Bressac en lugar de dejarse convertir por mí, intentó más bien corromperme.

—Todas las religiones parten de un principio falso, Sophie —me decía—, todas suponen como necesario el culto a un ser creador. Ahora bien, si ese mundo eterno, lo mismo que todos aquellos en medio de los que flota en las llanuras infinitas del espacio, no ha tenido nunca principio y no debe tener jamás fin, si todos los productos de la naturaleza son efectos resultantes de las leyes que a ella misma la encadenan, si su acción y reacción perpetuas suponen el movimiento esencial para su esencia, ¿en qué se convierte el motor que le prestáis gratuitamente? Ah, créelo, Sophie, ese Dios que tú admites no es sino el fruto de la ignorancia, de un lado, y de la tiranía, de otro;

cuando el más fuerte quiso encadenar al más débil le persuadió de que un dios santificaba las cadenas con que le oprimía, y éste, embrutecido por su miseria, creyó todo lo que el otro quiso. Todas las religiones, consecuencias fatales de esta primera fábula, deben pues ser sumidas en el desprecio como ella; no hay una sola que no lleve el emblema de la impostura y de la estupidez, en todas ellas veo misterios que hacen temblar a la razón, dogmas que ultrajan a la naturaleza y ceremonias grotescas que no inspiran sino irrisión. Apenas abrí los ojos, Sophie, ya detestaba esos horrores, y me impuse la ley de pisotearlos, de no volver a ellos en el resto de mis días; imítame si quieres ser razonable.

—¡Oh!, señor —respondí al marqués—, ¿privaríais a una desgraciada de su más dulce esperanza si le arrebatarais esa religión que la consuela, firmemente unida a lo que ella enseña, absolutamente convencida de que todos los golpes que recibo no son efecto más que del libertinaje y las pasiones? ¿Voy a sacrificar a sofismas que me hacen temblar la idea más dulce de mi vida?

Añadí a esto otras mil razones dictadas por mi cerebro, vertidas por mi corazón, pero el marqués se reía de ellas, y sus principios capciosos, alimentados por una elocuencia más masculina, apoyados en lecturas que yo afortunadamente no había llevado a cabo, echaban por tierra siempre los míos. La señora de Bressac, llena de virtud y de piedad, no ignoraba que su hijo apoyaba sus excesos con todas las paradojas de la incredulidad. Con frecuencia se quejaba de ello conmigo, y como se dignaba encontrarme un poco más de buen sentido que a las otras mujeres que la rodeaban, le gustaba confiarme sus penas.

Mientras tanto, los malos tratos de su hijo para con ella se redoblaban. Había llegado al punto de dejar de ocultarse; no sólo había rodeado a su madre de toda aquella peligrosa canalla que servía a sus placeres, sino que había llevado la insolencia hasta declarar delante de mí que si ella se atrevía a seguir contrariando sus gustos la convencería del encanto que tenían entregándose a ellos ante sus propios ojos, y verdaderamente tenía esa idea. Yo gemía ante estas proposiciones y esta conducta, intentaba sacar del fondo de mí misma motivos para ahogar en mi corazón aquella desgraciada pasión que la devoraba... pero, ¿es el amor un mal del que se pueda curar? Todo lo que trataba de oponerle no hacía más que atizar más vivamente su llama, y el pérfido Bressac nunca me parecía más amable que cuando había reunido ante mis ojos todo lo que debía animarme a odiarle.

Hacía cuatro años que estaba en aquella casa, siempre acosada por las mismas penas, siempre consolada por los mismos dulzores, cuando el espantoso motivo de las seducciones del marqués se me ofreció al fin en todo su horror. Estábamos por entonces en el campo; yo estaba sola con la condesa, su primera doncella había conseguido quedarse en París durante el verano por unos asuntos de su marido. Una noche, momentos después de que me hubiera retirado de los aposentos de mi ama, respirando en el balcón de mi habitación y no pudiendo decidirme a acostarme a causa del extremado calor, el marqués llama de pronto a mi puerta y me ruega que le deje charlar conmigo parte de la noche... Ay, todos los cortos instantes que me concedía aquel cruel autor de mis males me parecían demasiado preciosos como para atreverme a rechazar ninguno de ellos. Entra, cierra la puerta con cuidado y echándose en un sillón cerca de mí:

—Escúchame, Sophie —dice con cierto embarazo—, tengo que confiarte cosas de la mayor importancia; empieza por jurarme que nunca revelarás nada de lo que voy a decirte.

—¡Oh, señor, ¿podéis creerme capaz de abusar de vuestra confianza?

—Tú no sabes el riesgo que correrías si llegaras a demostrarme que me he equivocado al concedértela.

—La mayor de mis penas sería el perderla; no necesito mayores amenazas.

—Pues bien, Sophie..., he atentado contra los días de mi madre y es tu mano la que he escogido para servirme.

—¡Yo, señor! —exclamé retrocediendo horrorizada—. ¿Oh, cielos, cómo han podido ocurrírseos dos proyectos semejantes? Tomad mi vida, señor, es vuestra; disponed de ella, os la debo, pero nunca penséis obtener de mí que me preste a un crimen cuya sola idea resulta insoportable a mi corazón.

—Escucha, Sophie —me dijo el señor de Bressac, atrayéndome con tranquilidad—, ya me temía tus repugnancias, pero como tú tienes talento me he prometido vencerlas haciéndote ver que este crimen que tú encuentras enorme, no es en el fondo más que una cosa sencillísima. Dos crímenes se ofrecen a tus ojos poco filosóficos: la destrucción de un semejante y el mal con que esta destrucción se aumenta cuando este semejante es nuestra madre. En cuanto a la destrucción de un semejante, puedes estar segura de ello, Sophie, es puramente quimérica; al hombre no se le ha concedido el poder de destruir, si acaso posee el de variar las formas, pero no el de aniquilarlas. Ahora bien, toda forma es igual a ojos de la naturaleza, nada se pierde en el crisol inmenso en que sus variaciones se ejecutan, todas las porciones de materia que a él se arrojan se renuevan incesantemente bajo otras formas, y sean cuales sean nuestros actos sobre esto, ninguno la ofende directamente, ninguno sabría ultrajarla; nuestras destrucciones reaniman su fuerza, mantienen su energía, pero ninguna la atenúa. Y ¿qué importa a la naturaleza, siempre creadora, que esta masa de carne que hoy forma una mujer se reproduzca mañana bajo la forma de mil insectos diferentes? ¿Te atreverías a afirmar que la construcción de un individuo como nosotros cuesta más a la naturaleza que la de un gusanillo y que, en consecuencia, debe serle de mayor interés? Ahora bien, si el grado de inclinación o más bien de indiferencia es el mismo, ¿qué puede importarle que por lo que se llama el crimen de un hombre otro sea transformado en mosca o en lechuga? Cuando me haya sido demostrada la su-

blimidad de nuestra especie, cuando se me haya probado que
es tan importante para la naturaleza que necesariamente su
destrucción irrite a sus leyes, entonces podré creer que esta destrucción es un crimen; pero aun cuando el más detenido estudio me haya demostrado que todo lo que vegeta sobre el globo,
la más imperfecta de sus obras, tiene idéntico valor a sus ojos,
nunca supondré que el cambio de uno de estos seres en otros
mil pueda nunca ofender sus leyes. Me diré: todos los hombres,
todas las plantas, todos los animales, al crecer, al vegetar, al
destruirse por los mismos medios, al no recibir nunca una
muerte real sino una simple variación en lo que les modifica;
todos, digo, al crecer, al destruirse, al procrearse indiferente-
mente, aparecen un momento bajo una forma, y el momento
de después bajo otra; pueden, a voluntad del ser que quiere o
que puede moverlos, cambiar mil y mil veces en un día, sin que
una sola ley de la naturaleza pueda quedar un instante afectada
por ello. Pero este ser al que ataco en mi madre, es el ser que me
ha llevado en su seno. Y qué, ¿va a ser esta vana consideración
la que me frene, y a título de qué podría lograrlo? ¿Pensaba en
mí esta madre cuando su lubricidad le hizo concebir el feto del
que derivé? ¿Puedo deberle agradecimiento por haberse preocupado de su placer? Por otra parte, no es la sangre de la madre la que forma al hijo, sino sólo la del padre; el seno de la
hembra fructifica, conserva, elabora, pero no proporciona nada,
y esta reflexión es la que hubiera hecho que jamás atentara
contra los días de mi padre, mientras veo como una : sa
naturalísima cortar el hilo de los de mi madre. Luego, si es
posible que el corazón del hijo pueda conmoverme con justicia
con ciertos sentimientos de gratitud hacia una madre, ello no
puede ser más que en razón de su comportamiento con nosotros, a partir del momento en que estamos en edad de disfrutar
con él. Si el suyo ha sido bueno podemos amarla, incluso quizá lo debamos; si ha sido malo, como ninguna ley de la naturaleza nos ata, no sólo no le debemos nada, sino que todo nos

dicta que nos deshagamos de ella por esa fuerza poderosa del egoísmo que anima naturalmente e invenciblemente al hombre a desembarazarse de todo lo que le perjudica.

—¡Oh!, señor —respondí espantada al marqués—, esa indiferencia que suponéis a la naturaleza no es, una vez más, sino obra de vuestras pasiones; dignaos escuchar un instante a vuestro corazón en lugar de a aquéllas y veréis como condenará esos imperiosos razonamientos de vuestro libertinaje. Ese corazón, a cuyo tribunal os envío, ¿no es el santuario en el que esa naturaleza a la que ultrajáis desea ser escuchada y respetada? Si ella graba en él el más fuerte horror por ese crimen que meditáis, ¿estaréis de acuerdo en que aquél es condenable? Me diréis que el fuego de las pasiones destruye en un instante este horror, pero apenas estéis satisfecho éste renacerá, se hará oír por el órgano imperioso de los remordimientos, que en vano buscaréis combatir. Cuanto mayor sea vuestra sensibilidad, mayor será su imperio sobre vos... cada día, a cada instante, la veréis ante vuestros ojos, a esta tierna madre a la que vuestra mano bárbara habrá hundido en la tumba; oiréis su voz acongojada pronunciar aún el dulce nombre que encantaba vuestra infancia... Aparecerá en vuestras vigilias, os atormentará en vuestros sueños, abrirá con sus manos ensangrentadas las heridas con que la habréis desgarrado. A partir de este momento ni un solo instante feliz lucirá sobre la tierra para vos; todos vuestros placeres estarán emponzoñados, todas vuestras ideas se enturbiarán; una mano celestial, cuyo poder desconocéis, vengará los días que habías destrozado envenenando los vuestros, y sin haber gozado de vuestras fechorías moriréis del mortal dolor de haberos atrevido a llevarlas a cabo.

Yo lloraba al pronunciar estas últimas palabras; me precipité a las rodillas del marqués, le conjuré por todo lo que más quisiera a olvidar un extravío infame que le juré ocultar toda mi vida, pero no conocía el corazón que intentaba enternecer. Por vigoroso que pudiera ser el crimen, había roto sus resortes, y las pasiones, en toda su fuga, hacían que ya no reinara en él sino el crimen. El marqués se levantó fríamente.

—Bien veo que me había equivocado, Sophie —me dijo—, y lo siento tanto por mí como por vos. No importa, encontraré otros medios y vos habréis perdido mucho a mis ojos, sin que vuestra ama haya ganado nada.

Esta amenaza removió todas mis ideas; al no aceptar el crimen que se me proponía me arriesgaba mucho, y mi ama perecería infaliblemente; al consentir la complicidad me ponía a cubierto de la cólera de mi joven amo y salvaba necesariamente a su madre. Esta reflexión, que me vino de pronto, me hizo cambiar de papel al instante, pero como un viraje tan rápido hubiera podido parecer sospechoso, preparé durante algún tiempo mi derrota, obligué al marqués a repetirme con frecuencia sus sofismas, di poco a poco la impresión de no saber qué responder a ellos. Bressac me creyó vencida, legitimé mi debilidad por la fuerza de su arte; al fin parecí aceptarlo todo, el marqués se me echó al cuello… Este movimiento me hubiera colmado de dicha si aquellos bárbaros proyectos no hubiesen anulado todos los sentimientos que mi débil corazón había osado concebir por él… si hubiese sido aún posible que le amara…

—Tú eres la primera mujer a la que beso —me dijo el marqués—, y en verdad que lo hago con toda el alma… Eres deliciosa, hija mía; un rayo de filosofía ha penetrado, pues, tu espíritu; ¿era posible que esta encantadora cabeza permaneciera tanto tiempo en las tinieblas?

Y al mismo tiempo nos pusimos de acuerdo en los hechos: para que el marqués quedara convencido yo había seguido conservando un aire de repugnancia cada vez que desarrollaba más su proyecto o que me explicaba los medios de llevarlo a cabo, y este disimulo, tan permitido en mi desgraciada posición, fue el que logró engañarle mejor que nada. Quedamos de acuerdo en que al cabo de dos o tres días, más o menos, según la facilidad que encontrara para ello, yo echaría hábilmente un

paquetito de veneno que me entregó el marqués en una taza de
chocolate que la condesa acostumbraba a tomar todas las mañanas; el marqués me garantizó las consecuencias y me prometió dos mil escudos de renta para gastarlos a su lado o donde
bien me pareciera durante el resto de mis días; me firmó esta
promesa sin especificar lo que debía hacerme gozar de este favor, y nos separamos.

Ocurrió entretanto algo demasiado singular, demasiado
capaz de haceros ver el carácter del hombre atroz con el que
tenía que habérmelas, para que no interrumpa el relato que sin
duda esperáis del fin de esta cruel aventura en la que me había
comprometido. Dos días después de nuestra entrevista, el
marqués recibió la noticia de que un tío suyo, con cuya herencia
no contaba para nada, acababa de dejarle ochenta mil libras de
renta al morir. ¡Oh, cielos! —me dije—, ¿es así como la justicia
celestial castiga la preparación de las fechorías? Pensé perder la
vida por haber rechazado un bien inferior a aquél, y he aquí a
este hombre en el pináculo por haber concebido otra espantosa. Pero arrepintiéndome inmediatamente de tal blasfemia
contra la providencia, caí de rodillas, pedí perdón a Dios por
ella y me hice la ilusión de que aquella herencia inesperada iba,
al menos, a hacer cambiar los planes del marqués… ¡Qué error
el mío, gran Dios!

—¡Oh! mi querida Sophie —me dijo el señor de Bressac
viniendo la noche misma a mi habitación—, cómo llueven las
prosperidades sobre mí. Te lo he dicho veinte veces: no hay
nada como concebir un crimen para hacer llegar la dicha; parece que su camino sólo se abre fácilmente a los malvados.
Ochenta y sesenta, hija mía; he aquí ciento cuarenta mil libras
de renta que van a servir para mis placeres.

—Y bien, señor —respondí con una sorpresa moderada por
las circunstancias a las que estaba encadenada—, ¿no os anima
esta fortuna inesperada a esperar pacientemente esa muerte que
queréis precipitar?

—Esperar no esperaría ni dos minutos, Sophie. ¿Piensas en que tengo veintiocho años y en que a mi edad se hace duro esperar? Esto no debe cambiar nada nuestros proyectos, te lo suplico, y que tengamos el consuelo de terminar con todo antes de la época de nuestro regreso a París... Trata de que sea mañana; pasado mañana lo más tarde; no veo el momento de adelantarte un cuarto de tu pensión y de ponerte en posesión del total.

Hice todo lo que pude para ocultar el espanto que me inspiraba aquel encarnizamiento en el crimen, volví a interpretar mi papel de la víspera, pero todos mis sentimientos acabaron por apagarse y no creí deber más que horror a un malvado tan sin entrañas. Nada podía haber más embarazoso que mi posición. Si no actuaba, el marqués se daría pronto cuenta de que le burlaba; si advertía a la señora de Bressac, fuera cual fuera el partido que le hiciera tomar la revelación de aquel crimen, el joven se vería engañado y se decidiría quizás inmediatamente a usar medios más seguros que harían perecer igualmente a la madre y me expondrían a toda la venganza del hijo. Me quedaba el camino de la justicia, pero por nada en el mundo me habría decidido a tomarlo; decidí, pues, ocurriera lo que ocurriera, prevenir a la condesa; éste me pareció el mejor de todos los partidos posibles, y lo tomé.

—Señora —le dije al día siguiente al de mi última entrevista con el marqués—, tengo algo de la mayor importancia que revelaros, pero por mucho que os emocione estoy determinada al silencio si no me dais vuestra palabra de honor de no dar a vuestro señor hijo prueba alguna de resentimiento ante lo que tiene la audacia de proyectar. Vos actuaréis, señora; tomaréis el mejor partido, pero no diréis palabra; dignaos prometérmelo o callaré.

La señora de Bressac, que creyó que se trataría de alguna extravagancia normal de su hijo, se comprometió por el juramento que exigía, y entonces se lo revelé todo. Aquella desgraciada madre prorrumpió en lágrimas al enterarse de tal infamia.

—El malvado... —exclamó—. ¿Qué he hecho yo que no sea por su bien? Si he deseado evitar sus vicios o corregirle de ellos, ¿qué otros motivos que su felicidad y su tranquilidad podían llevarme a este rigor? ¿A quién debe esta herencia que acaba de corresponderle, sino a mis cuidados? Si se lo ocultaba era por delicadeza. ¡Monstruo! ¡Oh!, Sophie, dame pruebas de lo sombrío de sus proyectos, ponme en situación de no poder dudar de ellos; necesito todo lo que pueda acabar de apagar en mi corazón los sentimientos de la naturaleza...

Y entonces hice ver a la condesa el paquete de veneno que llevaba; hicimos tragar una pequeña dosis del mismo a un perro, al que encerramos cuidadosamente y que murió al cabo de dos horas entre espantosas convulsiones. La condesa, que ya no podía dudar, decidió sobre la marcha el partido que debía tomar. Me ordenó que le diera el resto del veneno y escribió al instante al duque de Sonzeval, pariente suyo, que fuera a casa del ministro secretamente, que le explicara el atentado de que estaba a punto de ser víctima, que se proveyera de una carta de detención contra su hijo, que acudiera a sus tierras con esta carta y un exento, y que la librara lo más pronto posible del monstruo que conspiraba contra sus días... Pero en el cielo estaba escrito que aquel abominable crimen se llevara a cabo y que la virtud humillada cediera a los esfuerzos de la infamia.

El desgraciado perro con el que habíamos hecho nuestra prueba se lo descubrió todo al marqués. Le oyó aullar; sabiendo que su madre le quería mucho, preguntó rápidamente qué le pasaba a aquel perro y dónde estaba. Aquellos a quienes se dirigió, que lo ignoraban todo, no le contestaron. Desde este momento, sin duda, concibió sospechas; no dijo nada, pero le vi inquieto, agitado y en guardia a lo largo de todo el día. Di parte de ello a la condesa, pero no había elección, todo lo que podía hacerse era apresurar el correo y ocultar el objeto de su misión. La condesa dijo a su hijo que le enviaba apresuradamente a París para rogar al duque de Sonzeval que se pusiera inmediatamente a trabajar en la herencia del tío que acababa de morir, porque si nadie se presentaba al instante podían temerse procesos; añadió que instaba al duque a venir a darle cuenta de todo a fin de decidirse a partir con su hijo si el asunto lo exigía. El marqués, demasiado buen fisonomista como para no ver el embarazo en el rostro de su madre, como para no observar un poco de confusión en el mío, se dio cuenta de todo y se puso aún más en guardia. So pretexto de un paseo con sus favoritos se aleja del castillo, espera al correo en un lugar por el que inevitablemente debía pasar. Aquel hombre, más adicto a él que a su madre, no pone ninguna dificultad para entregarle sus despachos, y el marqués, convencido de lo que sin duda llamaba mi traición, da cien luises al correo con orden de no volver a aparecer en la casa, y vuelve a ella con el corazón lleno de ira. Pero conteniéndose, no obstante, lo mejor posible, me encuentra, me mima como de ordinario, me pregunta si mañana será el día, me hace observar que es esencial que todo ocurra antes de que llegue el duque, y se acuesta tranquilo y sin exteriorizar nada. Si aquel desgraciado crimen se consumó, como el marqués me lo hizo saber muy pronto, no pudo ser sino del modo que voy a decir... La señora tomó su chocolate al día siguiente, según su costumbre, y como no había pasado por otras manos que las mías estoy segura de que no había en él mezcla alguna; pero el marqués entró hacia las diez de la mañana en la cocina, y no encontrando en ella más que al jefe de la misma, le mandó inmediatamente a buscarle higos en el jardín. El cocinero alegó la imposibilidad de abandonar sus fogones, el marqués insistió en su urgente capricho y dijo que él vigilaría los hornillos. El cocinero sale, el marqués examina todos los platos de la comida y verosímilmente echa en los cardos, que a la señora le gustaban con pasión, la droga fatal que debía segar el curso de sus días. Comemos, la señora toma, sin duda, este plato funesto y el crimen se consuma. Doy todo esto como sospecha; el señor de Bressac me aseguró después de esta aventura que su golpe había sido ejecutado, y mis combinaciones no me ofrecen más que este medio por el que haya sido posible lograrlo. Pero dejemos estas horribles conjeturas y volvamos al modo cruel como fui castigada por no haber querido participar en aquel horror y por haberlo revelado... En cuanto nos levantamos de la mesa, el marqués me aborda:

—Escucha, Sophie —me dice con la flema aparente de la tranquilidad—, he encontrado medio más seguro que el que te había propuesto para llevar a cabo mis proyectos, pero precisa ciertos detalles; no me atrevo a ir con tanta frecuencia a tu habitación, temo los ojos de todo el mundo. Ven a las cinco en punto al rincón del parque, allí te recogeré e iremos a dar juntos un gran paseo durante el cual te lo explicaré todo.

Confieso que sea por permiso de la providencia, por exceso de candor o por ceguera nada me anunciaba la horrible desgracia que me esperaba; me creía tan segura del secreto y de los manejos de la condesa que nunca imaginé que el marqués hubiera podido descubrirlos. Estaba, sin embargo, turbada:

El perjurio es virtud cuando castiga el crimen,

ha dicho uno de nuestros poetas trágicos, pero el perjurio es siempre odioso para el alma delicada y sensible que se ve obligada a recurrir a él; mi papel me turbaba, pero no fue largo. Los odiosos procedimientos del marqués, al darme otros motivos de dolor, me tranquilizaron pronto sobre aquéllos. Me abordó con el aire más alegre y más abierto del mundo y avanzamos en el bosque sin que hiciera otra cosa que reír y bromear como solía hacerlo conmigo. Cuando yo quería llevar la conversación al tema que le había hecho desear nuestra entrevista, me decía siempre que esperara, que temía que nos observaran y que aún no estábamos seguros. Insensiblemente llegamos a aquel arbusto y aquel enorme roble donde me había encontrado la primera vez; no pude evitar temblar al volver a ver aquellos lugares: mi imprudencia y todo el horror de mi destino parecieron presentarse entonces ante mí en toda su extensión, e imaginad cómo se duplicó mi espanto cuando vi al pie del funesto roble, sobre el cual ya había sufrido tan terrible crisis, a dos de los jóvenes favoritos del marqués que eran considerados como los que más mimaba. Se levantaron cuando nos acercamos y echaron cuerdas sobre el césped, nervios de vaca y otros instrumentos que me hicieron temblar. Entonces el marqués, no utilizando más que los epítetos más groseros y más horribles contra mí:

—P...... —me dijo, sin que los jóvenes pudieran aún oírle—, ¿reconoces este arbusto del que te saqué como a una bestia salvaje para devolverte a la vida que habías merecido perder? ¿Reconoces este árbol, en el que te amenacé con volverte a atar si alguna vez me dabas motivo para arrepentirme de mis bondades? ¿Por qué aceptaste los servicios que te pedía contra mi madre, si tenías pensado traicionarme, y cómo has creído servir a la virtud poniendo en peligro la libertad de aquel a quien debías la vida? Colocada necesariamente entre dos crímenes, ¿por qué has elegido el más abominable? No tenías más que negarte a lo que te pedía, en lugar de aceptarlo para traicionarme.

Entonces el marqués me contó todo lo que había hecho para sorprender los despachos del correo y cuáles eran las sospechas que le habían animado a ello.

—¿Qué has conseguido con tu falsedad, indigna criatura? —continuó—. Has puesto tus días en peligro sin conservar los de mi madre, el golpe está dado y espero, a mi vuelta, ver mi obra ampliamente coronada. Pero tengo que castigarte, tengo que enseñarte que el camino de la virtud no es siempre el mejor y que hay situaciones en el mundo en que la complicidad de un crimen es preferible a su delación. Conociéndome como debes conocerme, ¿cómo te has atrevido a burlarte de mí? ¿Te has figurado que el sentimiento de la piedad, que mi corazón nunca admitió más que en provecho de mis placeres, o que unos principios de religión que siempre he pisoteado, iban a ser capaces de retenerme…? ¿O quizá has contado con tus encantos? —añadió con el tono de la más cruel chanza—. Pues bien, te voy a demostrar que esos encantos, por desvelados que puedan estar, no servirán sino para mejor encender mi venganza.

Y sin darme tiempo para responder, sin dar muestras de la menor emoción ante el torrente de lágrimas por el que me veía inundada, agarrándome fuertemente el brazo y arrastrándome hacia sus satélites:

—He aquí —les dijo— a la que ha querido envenenar a mi madre y quizá haya cometido ya ese crimen horrible, pese a mis cuidados para evitarlo; quizá hubiera hecho mejor ponerla en manos de la justicia, pero habría perdido la vida y quiero dejársela para que tenga más tiempo para sufrir; desnudadla rápido y atadla con el vientre contra ese árbol, para que la castigue como se merece.

La orden fue tan pronto dada como ejecutada, me pusieron un pañuelo en la boca, me hicieron abrazar estrechamente el árbol y me amarraron por los hombros y las piernas, dejando el resto del cuerpo sin ligaduras, para que nada pudiese librarle de los golpes que iba a recibir. El marqués, asombrosamente excitado, se apoderó de un nervio de vaca; antes de golpear, el cruel quiso observar mi aspecto; se hubiera dicho que alimentaba sus ojos con mis lágrimas y los rasgos de dolor o de espanto que se imprimían en mi fisonomía… Entonces pasó tras de mí, a unos tres pies de distancia, y al momento me sentí golpeada con todas las fuerzas que era posible poner en ello, desde la mitad de la espalda hasta las pantorrillas. Mi verdugo se paró un minuto, tocaba con sus manos todas las partes que acababa de martirizar… no sé lo que dijo en voz baja a uno de sus satélites, pero al momento me cubrieron la cabeza con un pañuelo que no me dejó ver ninguno de sus movimientos; hubo, sin embargo, varios a mi espalda antes de que volvieran a empezar las nuevas escenas sangrientas a las que estaba destinada... *Sí, eso, eso es,* dijo el marqués antes de volver a golpear, y apenas estas palabras que yo no comprendí fueron pronunciadas, los golpes volvieron con más violencia; hubo aún una suspensión, las manos volvieron una vez más sobre las partes laceradas, hablaron todavía más bajo... Uno de los jóvenes dijo en voz alta: *¿No estoy mejor así?...* Bressac, emocionado, respondió: Sí, y estas nuevas palabras, igualmente incomprensibles para mí fueron seguidas de un tercer ataque todavía más fuerte que los demás, y durante el cual Bressac pronunció dos o tres veces consecutivas estas palabras, mezcladas con horrorosos juramentos: *Vamos, id, id los dos, ¿no os dais cuenta de que quiero hacerla morir a mis manos en este sitio?* Estas palabras, pronunciadas en tono cada vez más alto, terminaron aquella insigne carnicería; hablaron todavía unos minutos en voz baja, oí nuevos movimientos, y sentí que mis ligaduras se desataban. Entonces mi sangre, de la que vi que el césped se cubría, me indicó el estado en que debía hallarme; el marqués estaba solo, sus ayudantes habían desaparecido...

—Pues bien, furcia —me dijo observándome con esa especie de asco que sigue al delirio de las pasiones—, ¿no encuentras que la virtud te sale un poco cara y no valían dos mil escudos de pensión más que cien golpes de nervio de vaca?...

Me postré al pie del árbol, estaba a punto de perder el conocimiento... El bribón, no satisfecho aún de los horrores que acababa de cometer, cruelmente excitado a la vista de mis males, me pisoteó y me aplastó contra el suelo hasta asfixiarme.

—Soy demasiado bueno al salvarte la vida —repitió dos o tres veces—, ten al menos cuidado con la utilización que darás a mis nuevas gracias...

Entonces me ordenó que me levantara y que recogiera mis ropas, y como la sangre manaba por todas partes, para que mis vestidos, los únicos que me quedaban, no fueran manchados por ella, recogí maquinalmente un poco de hierba para enjugarme. Mientras tanto él se paseaba de un lado a otro dejándome hacer, ocupándose más de sus propias ideas que de mí. La hinchazón de mis carnes, la sangre que seguía manando, los dolores horrorosos que soportaba, todo me hizo casi imposible la operación de volver a vestirme y jamás el feroz hombre con el que tenía que habérmelas, jamás aquel monstruo que acababa de ponerme en aquel cruel estado, aquel por quien yo habría dado mi vida hacía unos días, jamás el más ligero sentimiento de conmiseración le animó a ayudarme; en cuanto estuve lista se acercó a mí.

—Id donde queráis —me dijo—, debe quedaros dinero en el bolsillo, no os lo voy a quitar, pero guardaros de reaparecer en mi casa, ni en París ni en el campo. Vais a ser tomada públicamente, os lo advierto, por la asesina de mi madre; si aún respira, le haré llevarse esa idea a la tumba; toda la casa lo sabrá; os denunciaré a la justicia. París se hace, pues, tanto más inhabitable para vos cuanto que vuestro primer asunto, que creéis liquidado, no está más que adormilado, os lo advierto. Os han dicho que ya no existía, pero os han engañado; os mantenían en esta situación para ver cómo os comportábais. Tenéis, pues, ahora, dos procesos en vez de uno, y en lugar de un viejo usurero como adversario un hombre rico y poderoso, decidido a perseguiros hasta el infierno si mediante querellas abusáis de la vida que tengo a bien dejaros conservar.

—Oh, señor —respondí—, sean cuales fueren vuestros rigores contra mí, no temáis nada de mis manejos; pensé hacer uso de ellos contra vos cuando se trataba de la vida de vuestra madre, nunca me serviré de ellos cuando no se trate más que de la desgraciada Sophie. Adiós, señor, y que vuestros crímenes puedan haceros tan feliz como desgraciada me hacen vuestras torturas, y sea cual sea el destino que el cielo os tenga reservado, mientras se digne conservar mis miserables días no los emplearé en otra cosa que en rogar por vos.

El marqués alzó la cabeza, no pudo evitar mirarme mientras decía aquello, y al verme cubierta de lágrimas, sin apenas poder tenerme en pie, el cruel se alejó y no volvió a mirar hacia donde me hallaba. En cuanto desapareció, me dejé caer al suelo y allí, abandonándome a todo mi dolor, hice retumbar el aire con mis gemidos, y regué la hierba con mis lágrimas:

—¡Oh, Dios mío —exclamé—, vos lo habéis querido, en vuestra voluntad estaba que el débil y el inocente fuera una vez más presa del crimen y la impunidad; disponed de mí, señor, todavía estoy muy lejos de los males que vos habéis sufrido por nosotros; puedan los que soporto adorándoos hacerme un día digna de las recompensas que prometéis al débil cuando os tiene siempre como objeto de sus tribulaciones y os glorifica en sus penas!

Se acercaba la noche y yo no estaba en estado de ir más lejos, apenas podía tenerme en pie; volví a acordarme del arbusto donde había dormido cuatro años antes en una situación sin duda mucho menos comprometida, me arrastré hacia él como pude y, colocada en idéntico lugar, atormentada por mis heridas aún sangrantes, agobiada por los males de mi espíritu y por las penas de mi corazón, pasé allí la más cruel de las noches que se pueda imaginar. El vigor de mi edad y mi temperamento, me habían dado un poco de fuerza al amanecer, y demasiada espantada por la vecindad de aquel cruel castillo, me alejé de él rápidamente, abandoné el bosque y, decidida a ganar pasara lo que pasara las primeras moradas que se ofrecieran a mí, entré en el villorio de Clayes, distante alrededor de seis leguas de París. Pregunté por la casa del cirujano, me la indicaron; le rogué que me vendara, le dije —dándole otro nombre— que huyendo por alguna razón amorosa de la casa de mi madre, en París, había caído desgraciadamente en aquel bosque, donde unos bandidos me habían tratado como podía ver; me cuidó a condición de que hiciera una declaración ante el escribano del pueblo; presumiblemente se llevaron a cabo investigaciones de las que

nunca oí hablar, y habiendo deseado el cirujano que me alber-
gase en su casa hasta mi curación, actuó con tanto tacto que
antes de un mes estaba perfectamente restablecida.

En cuanto mi estado me permitió tomar el aire, mi primer
cuidado fue el de intentar encontrar en el pueblo alguna doncella lo bastante hábil y lo bastante inteligente como para ir al
castillo de Bressac a informarse de todo lo que de nuevo hubiese
ocurrido desde mi marcha. La curiosidad no era el único motivo que me animaba a esta gestión; la curiosidad, quizá peligrosa, hubiera estado desplazada, pero el poco dinero que había
ganado en casa de la condesa había quedado en mi habitación,
apenas si tenía seis luises encima, y en el castillo poseía cerca de
treinta. No imaginaba que el marqués fuera tan cruel como para
negarme lo que tan legítimamente me pertenecía, y estaba
convencida de que, pasado su primer furor, no me haría una
segunda injusticia; escribí una carta lo más emocionante que
pude… Pero, ¡ay! lo era demasiado, mi triste corazón seguía
hablando en ella, a mi pesar, a favor de aquel pérfido, le ocultaba
cuidadosamente el lugar en que habitaba y le suplicaba que me
devolviera mis efectos y el poco dinero de mi pertenencia que se
hallara en mi habitación. Una campesina de veinte o veinticinco años, vivaz e inteligente, me prometió hacerse cargo de mi
carta e informarse bajo cuerda lo bastante como para poder sa-
tisfacerme a su regreso sobre todos los diferentes temas acerca de
los cuales le avisé que la interrogaría; le aconsejé expresamente
que ocultara su lugar de procedencia, que no hablara de mí para
nada, que dijera que le había dado la carta un hombre que la
llevaba desde un lugar situado a más de quince leguas de allí.
Jeannette partió, ese era el nombre de mi correo y veinticuatro
horas después me trajo la respuesta. Es fundamental señora, que
os explique lo que había pasado en casa del marqués de Bressac
antes de haceros ver el billete que desde allí recibí.

La condesa, su madre, que cayó gravemente enferma el día
de mi salida del castillo, había muerto súbitamente la misma

noche. Nadie había llegado al castillo desde París, y el marqués, presa de la mayor desolación —el muy bribón— pretendía que su madre había sido envenenada por una doncella que se había evadido el mismo día y a la que llamaban Sophie; se investigaba sobre aquella doncella, y se tenía la intención de hacerla morir en el cadalso si se la encontraba. Por otra parte el marqués, con aquella herencia, se encontraba más rico de lo que había creído, y los cofre, las joyas de la señora Bressac, objetos todos de los que poco se sabía, ponían al marqués, al margen de las rentas, en posesión de más de seiscientos mil francos, bien en efectos o en dinero efectivo. Según se decía le costaba mucho trabajo ocultar su alegría a través de su fingido dolor, y los parientes convocados para la abertura del cuerpo exigida por el marqués, tras haber deplorado el destino de la desgraciada condesa, y jurado vengarla si llegaba a caer en sus manos la que había cometido semejante crimen, habían dejado al joven en plena y apacible posesión del fruto de su infamia. El señor de Bressac había hablado en persona a Jeannette, le había hecho diferentes preguntas a las que la joven había contestado con tanta firmeza y franqueza que se había decidido a darle una respuesta sin más trámites.

—Esta es la carta fatal —dijo Sophie sacándola de su bolsillo—, hela aquí, señora, algunas veces mi corazón la necesita y la conservaré hasta mi último suspiro; leedla si podéis hacerlo sin temblar.

La señora de Lorsange —tras tomar el billete de manos de nuestra bella aventurera—, leyó las palabras siguientes:

«Una facinerosa capaz de haber envenenado a mi madre ha de ser bien intrépida para atreverse a escribirme tras tan execrable delito. Lo mejor que hace es ocultar su lugar de retiro; puede estar segura de que si se descubre será molestada. ¿Cómo se atreve a reclamar? ¿Qué habla de dinero y efectos? ¿Vale lo que haya podido dejarse tanto como los robos que ha cometido, bien durante su estancia en la casa, bien al consumar su último crimen? Que evite un segundo envío semejante a éste, porque se le declara que se haría detener a su comisionado hasta que el lugar que oculta a la culpable fuera conocido de la justicia.»

—Continuad, hija querida —dijo la señora de Lorsange devolviendo el billete a Sophie—, son procedimientos estos que dan horror... Nadar en oro y negar a una desgraciada que no ha querido colaborar en un crimen lo que ha ganado legítima- mente, es una infamia de la que no hay ejemplo.

—Ay, señora —continuó Sophie siguiendo con su histo- ria—, pasé dos días llorando sobre esta lamentable carta, y más aún gemía por los horribles procedimientos que pintaba que por las negativas que contenía. Heme aquí, pues, culpable, exclamé, heme aquí entregada por segunda vez a la justicia por haber respetado demasiado sus leyes... Bien, yo no me arre- piento; me ocurra lo que me ocurra no conoceré ni el dolor moral ni los remordimientos, mientras mi alma sea pura y no cometa otros errores que el de haber escuchado demasiado los sentimientos de equidad y virtud que nunca me abandonarán.

A todo esto me resultaba imposible imaginar que las in- vestigaciones de que me hablaba el marqués fueran reales; te- nían tan poca verosimilitud, era para él tan peligroso el hacerme aparecer ante la justicia, que supuse que en su fuero interno debía hallarse mucho más asustado por mi presencia a su lado, si alguna vez llegaba a descubrirla, que yo debiera estarlo por sus amenazas. Estas reflexiones me decidieron a quedarme en el lugar en que me hallaba, y a colocarme allí si lo lograba, hasta que mis fondos, un poco más crecidos, me permitiesen alejar- me de él. El señor Rodin, este era el nombre del cirujano en cuya casa estaba, me propuso que le sirviera. Era un hombre de treinta y cinco años, de carácter duro, brusco, brutal, pero que por otra parte gozaba en toda la región de una reputación ex- celente; muy dedicado a su talento, sin ninguna mujer en la casa, bien contento estaba, al volver, de encontrar una que se cuidara de su menaje y de su persona, me ofrecía doscientos francos al año y algunos beneficios de sus prácticas: yo lo acepté todo. El señor Rodin poseía un conocimiento demasiado exacto de mi físico como para ignorar que nunca había conocido hombre, estaba igualmente al tanto del extremado deseo que tenía de conservarme siempre pura, me había prometido no acosarme jamás con aquel tema; en consecuencia pronto estuvimos mutuamente de acuerdo…, pero yo no me confié en absoluto a mi nuevo amo, y él siempre ignoró quien era yo.

Hacía dos años que estaba en aquella casa, sin que mi amo me exigiera otra cosa que lo relativo a mi deber, es una justicia que le debo hacer, y aunque no dejara de estar muy apenada, la especie de tranquilidad de espíritu de que gozaba me hacía casi olvidar mis penas, cuando el cielo, que no quería que una sola virtud pudiera emanar de mi corazón sin abrumarme inmediatamente con el infortunio, vino una vez más a apartarme de la triste felicidad en que me encontraba por un momento para sumirme en nuevas desgracias.

Hallándome sola un día en casa, recorriendo diversos lugares donde mis obligaciones me llamaban, creí oír gemidos que salían del fondo de un sótano; me acerco…, distingo mejor, oigo los gritos de una muchacha, pero una puerta perfectamente cerrada la separaba de mí; se me hacía imposible abrir el lugar de su encierro. Mil ideas me pasaron entonces por la mente. ¿Qué podía hacer allí aquella criatura? El señor Rodin no tenía hijos, yo no le conocía ni hermanas ni sobrinas en las que pudiera interesarse, ni someterlas a castigo; la extremada regularidad con la que le había visto vivir no me permitía creer que aquella muchacha estuviera destinada a sus desenfrenos. ¿Por qué motivo, pues, la encerraba? Asombrosamente intrigada por resolver estas dificultades, me atrevo a interrogar a aquella muchacha, le pregunto qué es lo que hace allí y quién es.

—Ay, señorita —me respondió aquella infortunada—, llorando, yo soy hija de un carbonero del bosque, no tengo más que doce años; ese señor, que vive aquí, me raptó ayer, con uno de sus amigos, en un momento en que mi padre se hallaba lejos; entre los dos me ataron, me echaron a un saco lleno de serrín en cuyo fondo no podía gritar, me colocaron en la grupa de un caballo y a altas horas de la noche de ayer me metieron en esta casa; inmediatamente me depositaron en este sótano; no sé qué quieren hacer conmigo, pero al llegar me han obligado a ponerme desnuda, han examinado mi cuerpo, me han preguntado mi edad, y, en fin, el que tenía aspecto de ser el dueño de la casa ha dicho al otro que había que dejar la operación para pasado mañana por la noche, a causa de mi espanto, y que cuando estuviera un poco tranquila su experiencia sería mejor, y que, por lo demás, cumplía todas las condiciones que requería *el sujeto*.

Aquella chiquilla se calló tras estas palabras y volvió a empezar a llorar con más amargura aún; la animé a que se calmara y le prometí mis cuidados. Me resultaba bastante difícil comprender lo que el señor Rodin y su amigo, cirujano como él, pretendían hacer con aquella desgraciada; sin embargo la palabra *sujeto,* que con frecuencia les oía pronunciar en otras ocasiones, me hizo sospechar al instante que era muy posible que tuviesen el espantoso proyecto de hacer alguna disección anatómica con aquella desafortunada muchacha; antes de adoptar aquella cruel opinión decidí, sin embargo, instruirme mejor. Rodin regresa con su amigo, me alejan, hago como que les obedezco, me escondo, y su conversación no me convence sino de sobra del horrible plan que meditan.

—Jamás —dice uno de ellos—, será perfectamente conocida esta parte de la anatomía hasta que con el mayor cuidado sea examinada en un sujeto de doce o trece años abierto por el momento del contacto del dolor sobre sus nervios; resulta odioso que fútiles consideraciones entorpezcan de este modo el progreso de las artes... Pues bien, se trata de sacrificar a un sujeto para salvar a millones de ellos; ¿debe dudarse a este precio? ¿Es de diferente rango el asesinato operado por las leyes que el que se cometerá en nuestra operación, y no es el objeto de esas tan prudentes leyes el sacrificio de uno para salvar a mil? Que nada, pues, nos frene.

—Por mí yo estoy decidido —respondió el otro—, y hace mucho tiempo que lo hubiera hecho, sólo si me hubiese atrevido. ¿Esa desdichada niña, nacida para la desgracia, está en condiciones de rechazar la vida? Es un servicio que debe rendir a ella misma y a su familia.

—Le habríamos dado dinero si nos lo hubiera pedido. Tengo por principio, amigo mío, que todos los sujetos de clase vil no son buenos salvo para experimentar con ellos; es por ellos que debemos aprender, ensayar, a conservar prácticas preciosas que nos proporcionen dinero. Quizá pueda aún ver las bolsas de oro que he visto llenar, con experiencias semejantes cuando trabajaba en el hospital.

No os daré cuenta del resto de la conversación; al no tratar más que de cosas del arte me quedé con poco de ella, y a partir de aquel momento no me ocupé más que de salvar a cualquier precio a aquella desgraciada víctima de un arte a todas luces precioso sin duda, pero cuyos progresos me parecían pagarse demasiado caros al precio del sacrificio de la inocencia. Los dos amigos se separaron y Rodin se acostó sin hablarme de nada. Al día siguiente, día destinado a aquella cruel inmolación, salió como de ordinario, diciéndome que no volvería sino para cenar con su amigo, como la víspera; apenas estuvo fuera ya no me ocupé más que de mi proyecto...

El cielo lo favoreció, pero ¿me atrevería a decir si fue el acto de inocencia sacrificada al que ayudó o bien el acto de piedad de la desgraciada Sophie fue el que mereció su castigo?... Yo contaré el hecho, vos, señora, decidiréis sobre la cuestión, puesto que excedida por la mano de esta inexplicable providencia, se me hace imposible escrutar sus intenciones respecto a mí; he intentado seguir sus designios, he sido bárbaramente castigada por ello, esto es todo lo que puedo decir.

Bajo al sótano, interrogo de nuevo a esa chiquilla... Siempre los mismos discursos, siempre los mismos temores; le pregunto si sabe dónde se deja la llave cuando se sale de su prisión... Lo ignoro —me contesta—, pero creo que se la llevan... Busco por si acaso, cuando algo en la arena se hace notar a mis pies, me agacho... Es lo que buscaba, abro la puerta... La pobre desgraciada se echa a mis pies, riega mis manos con las lágrimas de su agradecimiento, y sin sospechar lo que arriesgo, sin reflexionar en el destino que debe esperarme, no me preocupo de otra cosa que de hacer huir a aquella muchacha, la hago salir felizmente del pueblo sin topar con nadie, la pongo en el camino del bosque, la abrazo disfrutando tanto como ella no sólo de su dicha, sino de la que va a proporcionar a su padre al reaparecer ante su vista. Nuestros dos cirujanos regresan a la hora prevista, colmados por la esperanza de llevar a cabo sus odiosos planes: cenan con tanta alegría como rapidez y en cuanto han terminado bajan al sótano. Yo no había tomado otra precaución para ocultar lo que había hecho que la de estropear la cerradura y de volver a poner la llave donde la había hallado, con el fin de hacer creer que la muchacha se había escapado sola, pero aquellos a los que quería engañar no eran gentes que se dejaran engañar tan fácilmente... Rodin vuelve a subir furioso, se echa sobre mí y, cubriéndome de golpes, me pregunta qué he hecho con la chica a la que había encerrado; empiezo por negar... y mi lamentable franqueza acaba por hacerme confesarlo todo. Nada, entonces, puede compararse a las expresiones duras y vehementes de las que se sirvieron los dos rufianes; uno propuso que me pusiera en el lugar de la niña a la que había salvado, otro suplicios aún más atroces, y estas frases y estos planes se entremezclaban con golpes que uno y otro me asestaban, hasta hacerme caer al suelo sin conocimiento. Su furia, entonces, se hizo más tranquila. Rodin me devolvió a la vida y en cuanto recuperé el sentido me mandan que me desnude. Obedezco temblando; él coloca un hierro al fuego.

—Eso no es todo —dice Rodin—, metiendo el hierro en el fuego, yo la he tomado *azotada*, quiero devolverla *marcada*.

Y al decir esto, el infame, mientras su amigo me sujeta, me aplica en la espalda el hierro ardiente con el que se marca a los ladrones...

—Que se atreva a mostrarse ahora, la muy furcia, que se atreva —dice Rodin furioso—, y mostrando esta ignominiosa letra legitimará suficientemente las razones que me han hecho despedirla con tanta rapidez y secreto.

Dicho esto, los dos amigos me cogen; era de noche; me conducen al lindero del bosque y me abandonan cruelmente en él, tras haberme hecho entrever todo el peligro de una recriminación contra ellos, si es que pretendo emprenderla en el estado de envilecimiento en que me hallo.

Cualquiera que no fuese yo se habría preocupado poco de esta amenaza; puesto que podía demostrarse que el trato que acababa de sufrir no era obra de ningún tribunal, ¿qué es lo que podía temer? Pero mi debilidad, mi habitual candor, el horror de mis desgracias de París y del castillo de Bressac, todo me asustó, y no pensé en otra cosa que en alejarme de aquel lugar fatal en cuanto los dolores que sufría se atenuasen un poco; como las llagas que me habían hecho fueron cuidadosamente vendadas, los dolores se calmaron un poco al día siguiente, y tras haber pasado bajo un árbol una de las más espantosas noches de mi vida, me puse en marcha en cuanto amaneció. Caminé un buen trecho los primeros días, pero desorientada, sin preguntar nada, no hice más que dar vueltas alrededor de París, y al cuarto día, por la noche, de mi marcha, me encontraba sólo en Lieusaint; sabedora de que aquel camino podía conducirme hacia las provincias meridionales de Francia, decidí seguirlo y alcanzar como pudiera aquellos lejanos parajes, imaginando que la paz y el reposo que tan cruelmente se me habían negado en mi patria me esperaban quizás al fin del mundo.

¡Fatal error! Y cuántas penas tenía aún que soportar... Mi fortuna, aún mucho más mediocre en casa de Rodin que en la del marqués de Bressac, no me había permitido ahorrar demasiado; afortunadamente todo lo que tenía, alrededor de unos diez luises, suma a que se elevaba lo que había salvado de casa de Bressac, más lo que había ganado en casa del médico, lo llevaba encima. En el colmo de mi desgracia, aún era feliz por el hecho de que no me hubiesen quitado esta ayuda y me prometía que me durarían al menos hasta que estuviese en situación de poder hallar algún empleo. Las infamias de que había sido objeto no estaban al descubierto, e imaginé poder ocultarlas siempre, y que sus huellas no me impedirían ganarme la vida; tenía veintidós años, una salud robusta, aunque era delicada y delgaducha, un rostro del que para mi desgracia no se hacían sino excesivos elogios, algunas virtudes que aunque siempre me hubiesen perjudicado, me consolaban no obstante en mi interior y me hacían esperar que por fin la providencia les concedería si no alguna recompensa al menos algún cese en los males que habían atraído a mí. Llena de esperanza y de valor, continué mi camino hacia Sens; había resuelto descansar allí unos días. Una semana de descanso me hizo reponerme por completo; quizá hubiese encontrado algún empleo en Sens, pero convencida de la necesidad de alejarme, ni siquiera quise buscarlo, continué mi camino con la idea de buscar fortuna en el Delfinado; había oído hablar mucho de esta región en mi infancia, pensaba que en ella estaba la felicidad; vamos a ver cómo la encontré.

En ninguna circunstancia de mi vida me habían abandonado los sentimientos religiosos; al despreciar los vanos sofismas de los espíritus fuertes, al creerlos todos emanados del libertinaje antes que de una firme persuasión, les oponía mi conciencia y mi corazón, y encontraba, por medio de la una o el otro, todo lo necesario para luchar contra ellos. Obligada a veces por mis desgracias a descuidar mis deberes piadosos, reparaba estos yerros en cuanto tenía ocasión de ello. Acababa de salir de Auxerre el 7 de junio, nunca olvidaré la fecha, había recorrido dos leguas y el calor empezaba a ganarme, cuando decidí subir a una pequeña eminencia cubierta de un bosquecillo, un poco alejada del camino hacia la izquierda, con objeto de refrescarme y dormir un par de horas, con menos gasto que en una posada y mayor seguridad que en el camino principal. Subo y me instalo al pie de un roble, donde tras una frugal comida compuesta por un poco de pan y agua, me entrego a las dulzuras del sueño; disfruto de él más de dos horas con toda tranquilidad. Al despertarme, me complací en contemplar el paisaje que a mí se ofrecía, siempre a la izquierda del camino; a más de tres leguas, en medio de una selva que se extendía hasta perderse de vista, creí ver elevarse modestamente en el aire un pequeño campanario.

—Dulce soledad —me dije—, qué ganas me dan de ir hacia ti. Debe tratarse del refugio de unas religiosas o de algunos santos eremitas, sólo ocupados de sus deberes, enteramente consagrados a la religión, alejados de esa sociedad perniciosa en la que el crimen, en continua lucha contra la inocencia, acaba siempre por triunfar de la misma; estoy segura de que allí han de anidar todas las virtudes.

Me hallaba ocupada en estas reflexiones, cuando una muchacha de mi edad, que cuidaba unos corderos cerca de allí, se ofreció a mi vista; la interrogué sobre aquella morada, me dijo que lo que veía era un convento de recoletos, ocupado por cuatro solitarios de extremada religión, continencia y sobriedad.

—Vamos allí —me dijo aquella chica— una vez al año, en peregrinaje por una virgen milagrosa de la que las gentes piadosas obtienen cuanto desean.

Emocionada por el deseo de ir inmediatamente a implorar socorro a los pies de aquella santa madre de Dios, pregunté a aquella chica si quería venir conmigo; me dijo que le era imposible, que su madre la esperaba en seguida en casa, pero que el camino era fácil; me lo indicó y me dijo que el padre guardián, el más respetable y más santo de los hombres, no sólo me recibiría de maravilla, sino que incluso me ofrecería ayuda si acaso la necesitaba.

—Le llaman el reverendo padre Raphaël —continuó aquella chica—, es italiano, pero ha pasado su vida en Francia, le gusta esta soledad y ha rechazado varios beneficios del Papa, de quien es pariente; es hombre de una gran familia, dulce, servicial, lleno de celo y de piedad, de alrededor de cincuenta años de edad y al que todo el mundo en la región considera un santo.

El relato de aquella pastora me excitó aún más, y me resultó imposible resistir al deseo que tenía de ir en peregrinación a aquel convento y de reparar en él, por cuantos actos piadosos pudiera, todas las negligencias de que era culpable. Por necesitada de caridad que estuviese yo misma, se la hice a aquella muchacha, y heme aquí camino de *Santa María del Bosque,* que aquel era el nombre del convento al que me dirigía. Cuando volvía a hallarme en la llanura ya no se veía el campanario, y para guiarme sólo tenía el bosque; no había preguntado a la joven pastora cuántas leguas había desde el lugar en que la había encontrado hasta aquel convento, y pronto me di cuenta de que la distancia era muy diferente de la estimación que de la misma había hecho. Pero nada me desanima, llego al borde del bosque, y viendo que todavía queda bastante día, me decido a penetrar en él, casi segura de llegar al convento antes de la noche… A todo esto ningún vestigio humano se ofrecía a mis ojos, ni una casa, y por todo camino un sendero muy poco trillado que seguí al azar; había hecho por lo menos cinco leguas desde la colina de la que pensaba que como mucho tres me separaban de mi destino y todavía no veía nada; cuando el sol se preparaba a abandonarme, oí por fin el tañido de una campana a menos de una legua. Me dirigí hacia el ruido, me doy prisa, el sendero se ensancha un poco…, al cabo de una hora de marcha desde el momento en que oí la campana, veo al fin unos setos y poco después el convento. Nada más agreste que esta soledad, ninguna morada le rodeaba, la más próxima estaba a más de seis leguas, y por todas partes había al menos tres leguas de bosque; estaba situado en un foso, había tenido que bajar mucho para llegar, y aquella era la zona que me había hecho perder de vista el campanario en cuanto me encontré en terreno llano. La cabaña de un hermano jardinero estaba junto al muro del refugio interior, y allí era donde había que dirigirse antes de entrar. Pregunto a aquel santo ermitaño si está permitido hablar al padre guardián..., me pregunta lo que quiero de él..., le hago comprender que un deber de religión..., que un voto me atrae hasta aquel piadoso retiro, y que quedaría consolada de todos los esfuerzos que he realizado para llegar a él si pudiera arrojarme un instante a los pies de la Virgen y del santo director en casa de quien mora aquella milagrosa imagen. El hermano, tras ofrecerme descanso, penetra inmediatamente en el convento y como ya era de noche y los padres estaban, según dijo, cenando, pasó algún tiempo antes de que volviera. Al fin reaparece con un religioso:

—Éste es el padre Clément, señorita —me dice el hermano—, es el ecónomo de la casa, viene a ver si lo que deseáis vale la pena de que se interrumpa al padre guardián.

El padre Clément era un hombre de cuarenta y cinco años, de enorme gordura, de gigantesca talla, de mirada feroz y sombría, con la voz dura y ronca, y cuya proximidad me hizo temblar más que me consoló... Un temblor involuntario se apoderó de mí, y sin que me fuera posible evitarlo, el recuerdo de todas mis desgracias pasadas acudió a mi memoria.

—¿Qué deseáis —me dijo aquel monje bastante duramente—, es esta una hora para venir a una iglesia? Tenéis aspecto de ser una aventurera.

—Santo varón —dije posternándome—, creía que siempre era hora para presentarse en la casa de Dios; vengo desde muy lejos, llena de fervor y de devoción, deseo confesarme si es posible, y cuando mi conciencia os sea conocida veréis si soy o no digna de posternarme a los pies de la imagen milagrosa que conserváis en vuestra santa casa.

—Pero es que no es hora de confesarse —dijo el monje suavizándose—, ¿dónde pasaréis la noche? No tenemos donde alojaros; era mejor haber venido por la mañana.

A aquello respondí con todas las razones que me lo habían impedido, y sin decirme nada más fue a dar cuenta al guardián. Unos minutos después oí que se abría la iglesia, y el propio padre guardián avanzó hacia mí, hacia la cabaña del jardinero, y me invitó a entrar con él en el templo. El padre Raphaël, del que bueno será que os de una idea sobre la marcha, era un hombre de la edad que me habían dicho, pero al que no se le habrían echado ni cuarenta años; era delgado, bastante alto, con una fisonomía espiritual y dulce, hablaba muy bien francés, aunque con una pronunciación un poco italiana, tenía buenos modos y era tan atento en lo exterior como sombrío y feroz en lo interior, según tendré ocasión de demostraros inmediatamente.

—Hija mía —me dijo graciosamente aquel religioso—, aunque la hora sea absolutamente inadecuada y no tengamos costumbre en absoluto de recibir tan tarde, oiré sin embargo vuestra confesión, y luego veremos los medios de haceros pasar decentemente la noche, hasta la hora en que mañana podáis saludar a la santa imagen que poseemos.

Dicho esto el monje fue a encender algunas lámparas alrededor del confesionario, me dijo que me colocara en él, y habiendo hecho retirarse al hermano y cerrar todas las puertas, me animó a confiarme a él con toda seguridad; totalmente repuesta con un hombre tan dulce, en apariencia, de los temores que me había causado el padre Clément, tras haberme humillado a los pies de mi director, me abrí enteramente a él y, con mi candor y mi confianza ordinarios, no le oculté nada de lo que me concernía. Le confesé todas mis faltas y le confié todas mis desgracias: nada fue omitido, ni siquiera la marca vergonzosa con la que me había infamado el execrable Rodin.

El padre Raphaël me escuchó con la mayor atención, incluso me hizo repetir varios detalles con aire de piedad e interés..., pero yo advertí que sus principales preguntas versaron varias veces sobre los siguientes puntos:

1. Si era cierto que fuese huérfana y de París.

2. Si era cierto que no me quedaban parientes, ni amigos, ni protección, ni nadie a quien escribir.

3. Si no había confiado a nadie más que a la pastora mi idea de ir al convento, y si no había concertado con ella una cita al regreso.

4. Si había constancia de que fuese virgen y de que no tuviera más que veintidós años.

5. Si era seguro que no hubiese sido seguida por nadie, y que nadie me hubiera visto entrar en el convento.

Tras satisfacer plenamente a estas preguntas y haber respondido a ellas con el aire más ingenuo:

—Pues bien —me dijo el monje levantándose y tomándome la mano—, venid, hija mía, es demasiado tarde para que saludéis a la Virgen esta noche, os procuraré la dulce satisfacción de comulgar mañana a los pies de su imagen, pero empecemos por pensar en haceros cenar y dormir esta noche.

Diciendo esto me condujo hacia la sacristía:

—Pero —le dije entonces con una especie de inquietud que no lograba dominar—, pero, padre mío, ¿en el interior de vuestra casa?

—¿Y dónde si no, encantadora peregrina? —me respondió el monje, abriendo una de las puertas del claustro que daba a la sacristía y que me introducía de lleno en la casa...—. ¿Qué es eso, teméis pasar la noche con cuatro religiosos? Oh, ya veréis, ángel mío, que no somos tan pacatos como parecemos y que sabemos divertirnos con una novicia bonita.

Estas palabras que el monje no pronunció sin dejar de apretarme indecentemente en lugares que el pudor no me permite nombrar, me hicieron estremecer hasta el fondo del alma. Oh, cielo santo, me decía a mí misma, ¿seré una vez más víctima de mis buenos sentimientos, y el deseo que he sentido de aproximarme a lo que de más respetable tiene la religión va a ser una vez más castigado como un crimen? Mientras tanto seguíamos avanzando en la oscuridad. La respiración del monje era agitada y se detenía de tiempo en tiempo para renovar la indecencia de sus gestos. Enardecido por el feliz éxito de sus proyectos, se atrevió al extremo de deslizar una de sus manos bajo mis faldas, atrayéndome con la otra para que no pudiera zafarme, y continuando con sus toqueteos deshonestos en distintas partes de mi cuerpo, me arrimó hacia sí para darme impúdicos besos que me dieron horror.

—Oh, cielo, estoy perdida —le dije.

—Así lo creo —me respondió el rufián, sin tiempo para reflexionar.

Continuamos nuestra marcha, con él más audaz que nunca y yo casi desvanecida. Al fin apareció una escalera al final de uno de los lados del claustro. Raphaël me hace pasar delante de él y, como nota un poco de resistencia me empuja con brutalidad y me insulta de la más soez de las maneras, repitiéndome que éste no era el caso de retroceder

—Furcia redomada, ah, pronto vas a ver si no habría quizá sido mejor para ti haber caído en un refugio de bandidos que en medio de cuatro recoletos como los que van a abusar de ti.

Todos los motivos de espanto se multiplican tan rápidamente ante mis ojos, que no me da tiempo de alarmarme por aquellas palabras; apenas me han herido cuando nuevos motivos de alarma vienen a asaltar mis sentimientos, se abre la puerta y veo alrededor de una mesa a tres monjes y a tres muchachas, los seis en el más indecente estado posible; dos de las chicas estaban completamente desnudas, mientras a la tercera estaban desnudándola, y los monjes estaban poco más o menos en el mismo estado...

—Amigos míos —dijo Raphaël al entrar—, nos faltaba y aquí está; permitid que os presente a un verdadero fenómeno: he aquí a una Lucrecia que lleva a la vez sobre sus hombros la marca de las mujeres de mala vida y aquí... —continúo haciendo un gesto tan significativo como indecente—, aquí, amigos míos, la prueba segura de una virginidad reconocida.

Las carcajadas se dejaron oír en todos los rincones de la sala ante esta singular recepción, y Clément, al primero que había visto, exclamó inmediatamente, ya medio borracho, que había que verificar las cosas inmediatamente. La necesidad de describiros las personas con las que estaba me obliga a interrumpirme aquí; os dejaré lo menos en suspenso posible sobre mi situación. Me imagino que ésta es lo bastante crítica como para inspirar algún interés.

Ya conocéis suficientemente a Raphaël y a Clément para que pueda pasar a los otros dos. Antonin, el tercero de los padres de aquel convento, era un hombrecillo de cuarenta años, seco, endeble, con un temperamento de fuego, un rostro de sátiro, peludo como un oso, de un libertinaje desenfrenado, de una terquedad y de una maldad sin precedentes. El padre Jérôme, decano de la casa, era un viejo libertino de sesenta años, hombre tan duro y tan brutal como Clément, todavía más borracho que él y que, estragado por los placeres ordinarios, se veía constreñido, para volver a hallar una chispa de voluptuosidad, a recurrir a rebuscamientos tan depravados como ultrajantes.

Florette era la más joven de las mujeres, era de Dijon, tenía alrededor de catorce años, hija de un burgués de aquella ciudad y había sido raptada por uno de los satélites de Raphaël que, rico y respetado en su orden, no descuidaba nada de lo que podía servir a sus pasiones; era morena, con muy bellos ojos y mucha picardía en los rasgos. *Cornélie* tenía alrededor de dieciséis años, era rubia, con el aspecto muy interesante, hermosos cabellos, una piel resplandeciente y el más bello talle posible; era de Auxerre, hija de un vinatero, y había sido seducida por el propio Raphaël, que la había arrastrado secretamente a su trampa. *Omphale* era una mujer de treinta años, muy alta, con un rostro muy dulce y muy agradable, con todas las formas muy pronunciadas, soberbios cabellos, el busto más bello del mundo, y los ojos más tiernos que fuera dado ver; era hija de un propietario de viñedos de Joigny muy acomodado, y en vísperas de casarse con un hombre que debía hacer su fortuna estaba cuando Jérôme la raptó de su familia, con las más extraordinarias seducciones, a la edad de dieciséis años. Tal era la compañía con la que iba a vivir, tal era la cloaca de impureza y contaminación en la que había pensado hallar todas las virtudes como en el asilo respetable que les convenía.

En cuanto estuve en medio de este espantoso círculo me hicieron, pues, comprender que lo mejor que podía hacer era imitar la sumisión de mis compañeras.

—Podéis imaginar fácilmente —me dijo Raphaël—, que de nada serviría intentar resistirse en el retiro inabordable al que vuestra mala estrella os condujo. Según decís habéis experimentado muchas desgracias, y según vuestro relato ello es cierto, pero ved, sin embargo, que la mayor de todas para una muchacha virtuosa faltaba aún en la lista de vuestros infortunios ¿Es natural ser virgen a vuestra edad, o es una especie de milagro que no podía prolongarse por más tiempo?... He aquí a vuestras compañeras que, como vos, han puesto peros cuando se vieron obligadas a servirnos, y que como vos vais a hacer prudentemente, acabaron por someterse cuando vieron que aquello no podía llevarlas más que a los peores tratos. En la situación en que os halláis, Sophie, ¿cómo esperaríais defenderos? Ved el abandono en que os encontráis en el mundo según vuestra propia confesión no os quedan ni parientes ni amigos; contemplad vuestra situación en un destierro fuera de toda ayuda, ignorada del mundo entero, entre las manos de cuatro libertinos que con toda seguridad no tienen deseos de evitaros penas... ¿A quién, pues, recurriríais, a ese dios al que venís a implorar con tanto celo y que aprovecha ese fervor para precipitaros un poco más en la trampa? Ya veis, pues, que no hay ningún·poder humano ni divino que pueda lograr arrancaros de nuestras manos, que no hay en el orden de las cosas posibles ni en el de los milagros ninguna clase de medio que pueda conseguir haceros conservar por más tiempo esa virginidad de la que estáis tan orgullosa, que pueda, en fin, impedir que os convirtáis en todos los sentidos y de todos los modos imaginables en la presa de los excesos impuros a los que los cuatro vamos a entregarnos con vos. Desnu daos, pues, Sophie, y que la más completa resignación pueda mereceros bondades de nuestra parte, que inmediatamente serán sustituidas por los tratos más duros e ignominiosos si no os sometéis, tratos que no harán sino irritarnos más, sin poneros a cubierto de nuestra intemperancia y de nuestras brutalidades.

Demasiada cuenta me daba de que aquel terrible discurso no me dejaba escapatoria alguna, pero ¿no hubiese sido culpable si no empleara la que mi corazón me orientaba y la naturaleza aún me permitía? Me eché a los pies de Raphaël, empleé todas las fuerzas de mi alma para suplicarle que no abusara de mi estado, las más amargas lágrimas fueron a inundar sus rodillas, y todo lo más dramático que mi alma pudo dictarme me atreví a intentarlo con este monstruo. Pero aún no sabía que las lágrimas tienen un atractivo suplementario a ojos del crimen y el desenfreno, ignoraba que todo lo que intentaba para conmover a aquellos monstruos no debía servir más que para inflamarles..., Raphaël se levanta furioso:

—Tomad a esta pordiosera, Antonin —dijo frunciendo las cejas—, y, desnudándola ante nuestros ojos, enseñadle que no es entre los hombres como nosotros donde la compasión puede instalarse.

Antonin me cogió con un brazo seco y nervioso, y entremezclando sus frases y sus actos con juramentos espantosos, en dos minutos hizo saltar mis ropas y me puso, desnuda, ante los ojos de la reunión.

—He aquí una hermosa criatura —dice Jérôme—, que el convento me aplaste si desde hace treinta años he visto otra más bella.

—Un momento —dice el guardián—, pongamos un poco de orden en nuestro proceder: conocéis amigos míos, nuestras fórmulas de recepción. Que las sufra todas sin exceptuar ninguna, que durante este tiempo las otras tres mujeres estén a nuestro alrededor para atender a las necesidades o para excitarlas.

Inmediatamente se forma un círculo, me colocan en medio del mismo, y allí, durante más de dos horas, soy examinada, considerada, palpada, por aquellos cuatro libertinos, recibiendo por turno de cada uno elogios o críticas. Me permitiréis, señora —dijo nuestra bella prisionera enrojeciendo prodigiosamente—, que os calle parte de los detalles obscenos que se observaron en esta primera ceremonia; que vuestra imaginación se represente todo lo que la depravación puede en semejante caso dictar a unos libertinos, que les vea pasar sucesivamente de mis compañeras a mí, comparar, acercar, confrontar, discurrir, y aún así no se hará sino una ligera idea de todo lo que se llevó a cabo en estas primeras orgías, suaves sin embargo en comparación con todos los horrores de los que pronto debía ser víctima.

—Vamos —dijo Raphaël, cuyos deseos prodigiosamente excitados parecían a punto de no poder ser contenidos—, es hora de inmolar a la víctima; que cada uno de nosotros se prepare a hacerle sufrir sus goces favoritos.

Y el hombre infame, tras haberme colocado sobre un sofá en la actitud propicia para sus execrables placeres, me hacía sujetar por Antonin y Clément… Raphaël, italiano, monje y depravado, se satisfacía de un modo ultrajante, sin tomar mi virginidad. Como colmo de desenfreno hubiérase dicho que cada uno de aquellos crapulosos hombres se glorificara de olvidar a la naturaleza en la elección de sus innobles placeres. Clément se abalanza, irritado por el espectáculo de las infamias de su superior, y aún más por todo aquello a lo que se ha entregado mientras le observa. Me declara que no será más peligroso para mí que su guardián y que el lugar donde su homenaje va a ofrecerse dejará igualmente fuera de peligro mi virtud. Me hace poner de rodillas, y pegándose a mí en esta postura, sus pérfidas pasiones se ejercitan en un lugar que me impide durante el sacrificio poder quejarme de su irregularidad. Le sigue Jérôme, su templo era el de Raphaël, pero no se introduce en el santuario; satisfecho de ver el atrio, emocionado con los primitivos episodios cuya obscenidad no puede describirse, no lograba la entera satisfacción de sus deseos, sino por los bárbaros medios que, retrocedieron a la infancia de la víctima del libertino, le hacía gozar de una suerte de tiranía que a pesar de algunos razonamientos sofisticados transmitía desgraciadamente, de siglo en siglo, un mago odioso ante el cual la humanidad temblaba siempre.

—Estos sí que son hermosos preparativos —dijo Antonin apoderándose de mí—, venid, paloma, venid para que os vengue de la irregularidad de mis colegas, para que al fin coseche las halagadoras primicias que sus intemperancias dejan para mí...

Pero qué detalles... Dios bendito... me es imposible pintároslo; hubiérase dicho que aquel monje, el más libertino de los cuatro aunque pareciera el menos distante de los designios de la naturaleza, no consentía en acercarse a ella, en poner un poco menos de inconformismo en su culto, sino resarciéndose de aquella apariencia de menor depravación por todo lo que más podía ultrajarme... Desgraciadamente, si a veces mi imaginación se había dejado llevar por aquellos placeres, yo los consideraba castos como el dios que los inspiraba, otorgados por la naturaleza para servir de consuelo a los humanos, nacidos del amor y de la delicadeza, me hallaba bien lejos de creer que el hombre, tomando como ejemplo a los animales salvajes, no pudiera gozar más que haciendo temblar a sus compañeras; lo experimenté y hasta un punto de tal violencia, que los dolores del desgarramiento natural de mi virginidad fueron los más débiles que hubiera de soportar en aquel peligroso ataque, pero fue en el instante de su crisis cuando Antonin terminó con tan furiosos gritos, con tan asesinas incursiones en todas las partes de mi cuerpo, con mordiscos, en fin, tan semejantes a las sangrientas caricias de los tigres, que por un momento me creí presa de alguna fiera que no se apaciguara sino devorándome. Terminados aquellos horrores, caí de nuevo, sobre el altar en que había sido inmolada, casi sin conocimiento e inmóvil.

Raphaël ordenó a las mujeres que me cuidaran y me dieran de comer, pero un violento acceso de dolor vino a asaltar mi ánimo en aquel cruel momento; no pude soportar la horrible idea de haber perdido al fin aquel tesoro de la virginidad, por el que hubiera sacrificado cien veces mi vida, de verme deshonrada por aquellos de quienes, por el contrario, debería esperar más ayuda y consuelos morales. Mis lágrimas se derramaron abundantemente, mis gritos resonaron en la sala, me tiré al suelo, me arranqué los cabellos, supliqué a mis verdugos que me dieran muerte, y aunque bribones, demasiado acostumbrados a escenas semejantes, se ocupasen más de gustar nuevos placeres con mis compañeras que de calmar o consolar mi dolor, importunados no obstante por mis gritos decidieron mandarme a descansar en un lugar desde el que no pudieran oírlos... Omphale iba a llevarme a él cuando el pérfido Raphaël, volviéndome a considerar con lubricidad, pese al cruel estado en que me hallaba, dijo que no quería que me despidieran antes de que una vez más me hiciera víctima suya... Apenas concebido el proyecto lo pone en ejecución..., pero como sus deseos necesitaban un grado más de excitación, no es sino tras haber puesto en práctica los crueles métodos de Jérôme cuando logra encontrar las fuerzas necesarias para llevar a cabo su nuevo crimen... ¡Qué exceso de depravación, Dios mío! ¿Era posible que aquellos desenfrenados fueran tan feroces como para elegir el momento de una crisis de dolor moral tan violenta como la que experimentaba para hacerme sufrir otra crisis física tan bárbara?

—Ah, rediez —dijo Antonin volviendo a cogerme a su vez—, nada hay que deba seguirse tanto como el ejemplo de un superior, y nada es tan exaltante como las recaídas; dicen que el dolor predispone al placer, estoy convencido de que esta hermosa chiquilla va a hacerme el más feliz de los hombres.

Y pese a mis repugnancias, pese a mis gritos y mis súplicas, vuelvo a ser por segunda vez el lamentable blanco de los insolentes deseos de aquel miserable...

—Ya es bastante pena para la primera vez —dijo Raphaël, llevándose consigo a Florette, yéndonos todos a acostar—; veremos mañana si la dulce niña ha aprovechado nuestras lecciones.

Y los demás se dispersaron. Yo estaba al cuidado de Omphale; aquella sultana, mayor que las demás, me pareció la encargada de cuidar de las hermanas; me llevó a nuestra habitación común, especie de torre cuadrada en cuyos rincones había una cama para cada una. Uno de los monjes seguía regularmente a las chicas cuando se retiraban, y cerraba la puerta con dos o tres cerrojos; Clément fue el que se encargó de ello; una vez allí, era imposible salir, no había otra salida en la habitación que un retrete adjunto para nuestras necesidades y nuestro aseo, cuya ventana estaba tan rigurosamente enrejada como la de la habitación en la que dormíamos. No había otra clase de muebles; una silla y una mesa cerca de la cama, que rodeaba un vulgar tejido de indiana, unos cofres de madera en el retrete, y los muebles de limpieza; no fue hasta el día siguiente que no me percaté de todo aquello; demasiado preocupada para ver nada en el primer momento no había hecho caso más que de mi dolor. Oh, santo cielo, me decía ¿está escrito que ningún acto virtuoso mane de mi corazón sin que inmediatamente sea seguido por un castigo? ¿Qué mal hacía, Dios mío, al desear venir a esta casa a cumplir un piadoso deber, ofendía al cielo queriendo dedicarme a él, era este el pago que debía esperar por ello? ¡Oh, incomprensibles designios de la providencia, dignaos, pues, abriros un instante a mis ojos si no queréis que me rebele contra vuestras leyes! Amargas lágrimas siguieron a aquellas reflexiones, y aún estaba inundada por ellas cuando, hacia el amanecer, Omphale se acercó a mi cama.

—Querida compañera —me dijo—, vengo a exhortarte a que tengas valor; yo lloré como tú los primeros días y ahora ya me he acostumbrado, tú te harás a esto igual que yo; los primeros momentos son terribles, no se trata sólo de la obligación de saciar perpetuamente los desenfrenados deseos de esos pervertidos, no es ese sólo el suplicio de nuestra vida, es la manera brutal como se nos trata en esta infame casa... Los desgraciados se consuelan al ver a otros sufrir a su lado —por lacerantes que fueran mis dolores, los apacigüé un instante para rogar a mi compañera que me pusiera al tanto de los males que debía esperar—. Escucha —me dijo Omphale sentándose cerca de mi cama—, voy a hablarte con confianza, pero cuida bien de no abusar nunca de ella... El más cruel de nuestros males, mi querida amiga, es la incertidumbre de nuestra suerte; es imposible saber lo que ocurre cuando se abandona este lugar. Tenemos todas las pruebas que nos ha sido dado conseguir desde nuestro retiro de que las chicas recogidas por los monjes jamás reaparecen en el mundo; ellas mismas nos lo previenen, no nos ocultan que este retiro es nuestra tumba; sin embargo, no hay un año en que no salgan de aquí siete u ocho. ¿Qué es, pues, de ellas? ¿Se deshacen de ellas? Unas veces nos dicen que sí, otras aseguran que no, pero ninguna de las que han salido, por más que haya prometido querellarse contra esta cloaca de

impurezas y trabajar por nuestra liberación, ninguna digo ha
cumplido su palabra. ¿Se olvidan de sus querellas o son ellos
quienes las ponen fuera de la posibilidad de querellarse? Cuando pedimos a las que llegan noticias de las antiguas, nunca saben nada de ellas. ¿Qué es, pues, de estas desgraciadas? Esto es
lo que nos atormenta, Sophie, esta es la fatal incertidumbre que
constituye el verdadero tormento de nuestros desgraciados días.
Hace catorce años que estoy en esta casa y ya he visto salir de
ella a más de cincuenta muchachas… ¿dónde están? Nuestro
número está fijado en cuatro… Al menos en esta habitación, ya
que estamos todas más que seguras de que hay otra torre que
corresponde a ésta y en la que tienen un número igual; muchos
rasgos de su conducta, muchas de sus frases nos han convencido
de ello, pero si estas compañeras existen, nosotras nunca las
hemos visto. Una de las mayores pruebas de este hecho que
poseemos es que nunca servimos dos días seguidos; fuimos
empleadas ayer, descansaremos hoy; y ciertamente esos pervertidos no hacen un día de abstinencia. Nada, por otra parte,
justifica nuestra jubilación, ni la edad, ni el cambio de los rasgos, ni el aburrimiento, ni el asco, nada más que su capricho les
decide a darnos esa cruel despedida que nos es imposible saber
en qué consiste. Yo he visto aquí a una mujer de setenta años,
que no partió hasta el verano pasado; hacía sesenta años que
estaba aquí, y mientras a ella la conservaban, vi echar a más de
doce que no tenían dieciséis años. Las hay a las que he visto irse
al cabo de tres días, a otras al cabo de un mes, a otras al de
varios años; sobre esto no hay más regla que su voluntad o su
capricho. La conducta tampoco tiene nada que ver: yo las he
visto que se adelantaban a todos sus deseos y que partían al cabo
de seis semanas; otras, fastidiosas y extravagantes, se quedaban
un gran número de años. Es, pues, inútil aconsejar a una recién
llegada un determinado género de conducta; su fantasía derroca
todas las leyes, nada hay seguro con ellos. Respecto a los monjes
varían poco; Raphaël hace quince años que está aquí, hace

dieciséis que Clément vive aquí, Jérôme está desde hace treinta años, Antonin desde hace diez; es el único al que he visto llegar, sustituyó a un monje de sesenta años que murió en un exceso de desenfreno… Ese Raphaël, florentino de nacimiento, es pariente cercano del Papa, con el que se lleva muy bien; sólo desde su llegada garantiza la virgen milagrosa la reputación del convento, impidiendo que los maldicientes observen demasiado cerca lo que aquí ocurre, pero la casa ya estaba montada como ves cuando él llegó. Hace cerca de ochenta años, según se dice, que está así, y todos los guardianes que han venido han conservado un orden tan ventajoso para su placer; Raphaël, uno de los monjes más libertinos de su siglo, se hizo destinar aquí porque conocía el lugar, y su intención es mantener sus secretos privilegiados el mayor tiempo posible. Pertenecemos a la diócesis de Auxerre, pero esté o no al corriente el obispo, nunca le vemos aparecer por estos parajes; excepto en la época de la fiesta, que cae a finales de agosto, aquí no vienen diez personas al cabo del año. No obstante cuando algún extraño se presenta, el guardián se ocupa de recibirle bien y de impresionarle con incontables apariencias de austeridad y religión; vuelven contentos y alaban la casa, y así se afirma la impunidad de estos facinerosos sobre la buena fe del pueblo y la credulidad de los devotos. Nada hay más severo, por otra parte, que los reglamentos de nuestra conducta, y nada es tan peligroso para nosotras como inflingirlos, sea en lo que sea. Es esencial que sobre este punto entre contigo en detalles —continuó mi instructora—, porque aquí no se excusa el decir: *No me castiguéis por la infracción de esta ley, yo la ignoraba.* Es preciso o bien hacerse instruir por las compañeras o bien adivinarlo una misma todo; no nos avisan de nada y nos castigan por todo. El único castigo admitido es *el látigo;* era natural que un elemento de los placeres de estos rufianes se convirtiera en su castigo favorito; lo probaste ayer sin haber faltado, lo probarás pronto por haberlo hecho; los cuatro están aferrados a esta cruel depravación, y cada uno la ejerce por turno para castigar. Cada día hay uno que es llamado *regente de día,* y él es el que recibe los informes de la decana de la habitación, que está encargada del orden interior del serrallo, de todo lo que ocurre en las cenas en las que se nos admite, quien tasa las faltas y las castiga por sí mismo. Veamos cada uno de estos artículos. Tenemos la obligación de estar siempre levantadas y vestidas a las nueve de la mañana; a las diez nos traen pan y agua para desayunar; a las dos se sirve la comida, que consiste en un potaje bastante bueno, un trozo de carne de cocido, un plato de legumbres, a veces un poco de fruta y una botella de vino para las cuatro. Regularmente cada día, en verano o en invierno, a las cinco de la tarde el regente viene a vernos; entonces es cuando escucha las delaciones de la decana; y las quejas que ésta puede hacer versan sobre la conducta de las muchachas, los descuidos producidos, la exactitud de los reglamentos interiores, el aseo personal, el tipo de alimentación y sobre cualquier otro objeto demasiado indecente para ser repetido.

—¡Señora! —dijo Sophie, interrumpiendo a su camarada.

—Hay que dar exacta cuenta de todas esas cosas —prosiguió Omphale—, y si no lo hacemos nos arriesgamos a ser castigadas. De ahí el regente de día pasa a nuestro retrete y lo revisa; hecha la tarea, raro es que salga sin divertirse con una de nosotras y frecuentemente con las cuatro. En cuanto sale, si no es nuestro día de cena, somos dueñas de leer, o charlar, de distraernos entre nosotras hasta la hora de la cena, que se sirve a las ocho y que consiste en un plato de entremeses, o un plato de frutas. Debemos acostarnos en seguida, a las once. Si esa noche debemos cenar con los monjes suena una campana, que nos avisa para que nos preparemos; el regente de día viene personalmente a buscarnos, bajamos a esa sala, en la que nos has visto, y lo primero que se hace es leer el cuaderno de faltas desde la última vez que aparecimos; primero las faltas cometidas en aquella última cena, consistentes en negligencias, en frialdad con los monjes en el momento de servirles, en falta de atención, de sumisión o de tener algún tipo de exigencia; a aquello se une la lista de faltas cometidas en la habitación durante los dos días, según el informe de la decana. Las delincuentes se ponen por turno en medio de la sala; el regente de día cita su falta y la valora; luego son desnudadas por el guardián, o algún otro si el guardián está en su puesto, y el regente les administra el castigo prescrito de un modo tan enérgico, que es difícil puedan olvidarlo. Ahora bien, el arte de estos rufianes es tal, que es casi imposible que haya un sólo día en que no se lleven a cabo varias ejecuciones. Cumplida esta tarea, empiezan las orgías, detallártelas sería imposible, ¿pueden acaso regularse tan extraños caprichos? Lo fundamental es no negar nunca nada... estar atenta a todo, y aun por bueno que sea este método, no se está nunca segura. En mitad de estas orgías se cena; somos admitidas a esa comida, siempre mucho más delicada y suntuosa que las nuestras; las bacanales vuelven a empezar cuando nuestros monjes están medio borrachos, es entonces que su imaginación desordenada refina todos los excesos; a medianoche todos se separan, y entonces cada cual es dueño de quedarse con una de nosotras durante la noche, esta favorita va a dormir a la celda del que la ha elegido y vuelve con nosotras al día siguiente; las otras regresan y encuentran la habitación limpia, las camas y los armarios arreglados. A veces, por la mañana, en cuanto nos levantamos, antes de la hora del desayuno, sucede que un monje venga a llevarse a una de nosotras a su celda; es el hermano que se ocupa de nosotras, quien viene a buscarnos y nos conduce a la habitación del monje que nos desea, el cual nos vuelve a traer personalmente o bien hace que aquel mismo nos traiga, en cuanto deja de necesitarnos. Este cancerbero, que limpia nuestras habitaciones y que a veces nos trae a ellas, es un viejo animal, al que pronto verás, de setenta años, tuerto, cojo y mudo; es ayudado en el servicio de la casa por otros tres, uno que prepara la comida, otro que hace las celdas de los padres, barre y ayuda en la cocina, y el portero, al que viste al entrar. De estos hermanos, nunca vemos más que al que nos sirve, y dirigirle la palabra sería uno de nuestros más graves crímenes. El guardián viene a veces a visitarnos; entonces es costumbre proceder a ciertas ceremonias, que la práctica te enseñará y cuya falta de observancia es un crimen, ya que el deseo que tienen de hallar alguno para tener el placer de castigarlo les hace multiplicarlos hasta el infinito. Raramente viene Raphaël a visitarnos sin algún plan: la obediencia es entonces nuestra ley y el envilecimiento nuestro premio. El resto del día permanecemos encerradas, no existe ninguna ocasión en la vida en la que podamos tomar el aire, aunque haya un jardín bastante grande, pero como no tiene rejas y se teme una evasión, tanto más peligrosa cuanto que instruiría a la justicia temporal o espiritual de todos los crímenes que aquí se cometen hay que seguir con prontitud mis órdenes. Nunca cumplimos ningún deber religioso; nos está prohibido pensar en ello; o hablar de ello, estas frases son uno de los delitos que merecen mayor castigo. Esto es todo lo que puedo decirte, mi querida compañera —dijo nuestra decana—, la experiencia te enseñará el resto; ármate de valor si te es posible, pero renuncia al mundo para siempre, no existe precedente de una chica de esta casa que haya podido nunca volver a verlo.

Este último punto me inquietaba horriblemente, pregunté a Omphale cuál era su verdadera opinión sobre el destino de las chicas despedidas.

—¿Qué quieres que te conteste a eso? —me dijo—, la esperanza de cada momento destruye esta triste opinión; todo me demuestra que una tumba les sirve de retiro, y mil ideas que son sólo hijas de la esperanza vienen a cada momento a destruir esta demasiado fatal convicción. No nos avisan sino la misma mañana —prosiguió Omphale— del despido que se nos prepara; el regente del día viene antes del desayuno, y supongo que dice: *Omphale, preparad vuestras cosas, el convento os despide, vendré por vos a la caída de la noche,* y luego se va. La despedida abraza a sus compañeras, les promete una y mil veces servirlas, quejarse, contar lo que ocurre: suena la hora, llega el monje, la chica se va y nunca vuelve a oírse hablar de ella. A todo esto, si se trata de un día de cena, se celebra como de costumbre; lo único que hemos notado en estos días que los monjes se agotan mucho menos, que beben mucho más, que nos mandan a la cama mucho más temprano y que ninguna se queda a dormir con ellos.

—Querida amiga —dije a la decana, abrazándola y agradeciéndole sus instrucciones—, quizá habéis dado siempre con niñas que no han tenido la fuerza suficiente para cumplir su palabra...

—Niñas —interrumpió Omphale—: desde cuatro años, una de treinta y nueve, una de cuarenta, una de cuarenta y seis y una de cincuenta me hicieron la promesa de hacerme llegar noticias y ninguna lo hizo.

—No importa —respondí—. ¿Quieres hacer conmigo esta promesa recíproca? Yo empiezo por jurarte por anticipado, por lo que que más sagrado tengo en el mundo que o moriré o destruiré estas infamias. ¿Me prometes tú hacer lo mismo?

—Ciertamente —me dijo Omphale—, pero convéncete de la inutilidad de estas promesas. Chicas mayores que tú, quizá más irritadas aún si esto es posible, pertenecientes a las mejores familias de la provincia, y por ello con más armas que tú, chicas, en una palabra, que habrían dado su sangre por mí, han faltado a los mismos juramentos; permite, pues, a mi cruel experiencia mirar el nuestro como vano y no contar con él.

Charlamos a continuación sobre el carácter de los monjes y de nuestras compañeras.

—No hay en Europa —me dijo Omphale— hombre más peligroso que Raphaël y Antonin; la falsedad, la negrura, la maldad, la lujuria, la gula, la terquedad, la crueldad, la irreligión son sus cualidades naturales, y en sus ojos no se ve la alegría, sino cuando más y mejor se han entregado a semejantes vicios. Clément, que parece el más brusco, es, sin embargo, el mejor de todos, no hay que temerle más que cuando está borracho; entonces hay que cuidarse de faltarle, so pena de correr grandes riesgos. En cuanto a Jérôme, es naturalmente brutal, las bofetadas, las patadas y los puñetazos son con él renta segura, pero cuando sus pasiones se apagan se hace dulce como un corderito, diferencia esencial entre él y los dos primeros, que sólo reaniman las suyas con traiciones y atrocidades. Respecto de las chicas —prosiguió la decana— poco hay que decir; Florette es una niña que no tiene muchas luces y de la que se hace lo que se quiere, Cornélie tiene el alma y la sensibilidad muy grandes, nada puede consolarla de su destino.

Recibidas todas estas enseñanzas, pregunté a Omphale si no era en absoluto posible confirmar si existía o no una torre que albergara a otras desgraciadas como nosotras.

—Si existen, como estoy casi segura —dijo Omphale—, no podríamos saberlo más que por alguna indiscreción de los monjes, o por el hermano mudo que nos sirve y que sin duda también se ocupa de ellas; pero estas informaciones resultarían muy peligrosas. ¿De qué nos serviría, por otra parte, saber si estamos solas o no, puesto que no podemos ayudarnos? Si ahora me preguntas qué pruebas tengo de que esto sea lo más verosímil, te diré que varias de sus frases dichas impensadamente son más que suficientes para convencernos de ello; que, por otra parte, una vez, al salir por la mañana de acostarme con Raphaël, en el momento en que atravesaba el umbral de su puerta y cuando iba a seguirme para traerme personalmente, vi sin que él se diera cuenta al hermano mudo que entraba en la celda de Antonin con una bellísima muchacha de diecisiete o dieciocho años, que con toda seguridad no era de nuestra habitación. El hermano, al saberse visto, la precipitó rápidamente en la celda de Antonin, pero yo la vi; nadie se quejó y todo quedó en eso; quizá me la hubiese jugado si aquello se hubiera sabido. Es, pues, seguro que hay otras mujeres aquí y que, puesto que no cenamos con los monjes más que un día sí y otro no, ellas cenan el otro día, en número presumiblemente igual al nuestro.

Apenas acababa Omphale de hablar cuando Florette volvió de la celda de Raphaël, donde había pasado la noche, y como estaba expresamente prohibido a las chicas contarse mutuamente lo que les ocurría en aquellos casos, al vernos despiertas, se limitó a desearnos buenos días y se tumbó, agotada, en su cama. A la hora de levantarse para todas, la tierna Cornélie se acercó a mí, lloró mientras me miraba... y me dijo:

—Oh, mi querida señorita, qué desgraciadas criaturas somos...

Trajeron el desayuno, mis compañeras me obligaron a comer un poco, lo hice por darles gusto; el día transcurrió bastante tranquilamente. A las cinco, como había dicho Omphale, entró el regente de día: era Antonin, me preguntó riéndose cómo me había sentado la aventura, y como yo respondía bajando simplemente los ojos inundados de lágrimas:

—Ya se acostumbrará, ya se acostumbrará —dijo riendo—, no hay en toda Francia una casa donde se forme a las chicas mejor que aquí.

Hizo su visita, apuntó las faltas según la decana, que, demasiado buena chica para cargarla mucho, decía con frecuencia que no tenía nada que decir, y prefería hacerse castigar ella misma que hacer penar a sus compañeras. Antes de dejarnos Antonin se acercó a mí... Temblé, creí que iba a convertirme una vez más en víctima de aquel monstruo, pero puesto que aquello podía ocurrir en cualquier instante, ¿qué más daba que fuera entonces o al día siguiente? Sin embargo, quedé en paz con unas caricias brutales, y él se abalanzó como un loco furioso sobre Cornélie, ordenando mientras actuaba a todas las que allí estábamos que fuéramos a servir a sus pasiones con aquella desgraciada como había hecho la víspera conmigo, es decir, con los más premeditados episodios de la brutalidad y la depravación. Esa clase de grupos se ejecutaban con mucha frecuencia; era casi costumbre que cuando un monje gozaba de una de las hermanas, las otras tres le rodeasen para inflamar sus sentidos por todas partes y para que la voluptuosidad pudiera penetrar en él de miles de formas. Pongo aquí estos detalles impuros para no tener que volver sobre ellos, no siendo mi intención la de insistir más sobre la indecencia de estas escenas. Describir una es pintarlas todas, y durante mi larga permanencia en aquella casa es mi propósito no volveros a hablar más que de los acontecimientos esenciales, sin horrorizaros más tiempo con los detalles. Como no era el día de nuestra cena estuvimos bastante tranquilas, mis compañeras me consolaron lo mejor que pudieron, pero nada podía calmar las penas de la naturaleza de las mías; ellas lo intentaron en vano, pero cuanto más me hablaban de mis males más atroces me parecían.

Una hora después, el guardián vino a verme, preguntó a Omphale si empezaba a habituarme, y sin escuchar la respuesta, abrió uno de los cofres del retrete, del que sacó varios vestidos de mujer:

—Como no tenéis nada que poneros —me dijo—, no tenemos más remedio que pensar en vestiros.

Y echó sobre la cama varias batas con media docena de camisones, unos gorros, medias y zapatos, y me dijo que me lo probara todo; asistió a mi arreglo y no faltó ninguno de los indecentes tocamientos que la situación le permitía. Hubo tres batas de tafetas y otra de tela de las Indias que me sentaban bien; me permitió que me las quedara, y que me las apañara igualmente con lo demás, recordándome que todo aquello era de la casa y que lo devolviera si salía de ella antes de romperlo; como todos aquellos detalles le habían proporcionado algunas escenas que le calentaron, me ordenó que yo misma me pusiera en la postura que sabía que le convenía... quise pedirle gracia, pero viendo la ira y la cólera ya en sus ojos, creí que lo mejor era obedecer, me coloqué... el libertino, rodeado de las tres otras muchachas, se satisfizo cómo tenía costumbre de hacerlo en contra de las costumbres, la religión y la naturaleza. Nadie era tan constante en sus desórdenes como el villano italiano; no se desviaba jamás de sus abominables prácticas. Yo lo había inflamado, me dio mucho de comer y fui destinada a pasar la noche con él; mis compañeras se retiraron y yo fui a su celda. No os hablaré más de mis repugnancias ni de mis dolores, señora, vos sin duda los imagináis extremados, y su monótona pintura quizá perjudicaría a las que me faltan por haceros. Raphaël tenía una celda encantadora, amueblada con muy buen gusto y magnificencia. En cuanto nos encerramos, el monje se desnudó y, tras ordenarme que le imitara, se hizo excitar pasivamente con los mismos medios con los que a continuación se dedicaba a él como agente. Puedo decir que en aquella velada hice un curso tan completo de libertinaje como la más acostumbrada mujer de mundo a aquellos impuros ejercicios. Tras haber sido maestra volvía a ser alumna, pero nunca traté como me trataban, y aunque nunca me hubieran pedido indulgencia, yo pronto me vi en el caso de implorarla con grandes lágrimas, pero se burlaron de mis súplicas, se tomaron las precauciones más bárbaras contra mis movimientos, y cuando fui bien dominada, fui tratada durante dos horas con una severidad sin precedente. No bastaba con las partes destinadas a aquel uso, los lugares más opuestos, los globos más delicados eran recorridos indistintamente, nada escapaba a la furia de mi verdugo, cuyas titilaciones de voluptuosidad se modelaban sobre los dolorosos síntomas que sus miradas observaban preciosamente. Algunos episodios suspendían un instante la celeridad del ejercicio cruel al que se entregaba, sus manos tocaban y sus infames besos se imprimían con ardor sobre las huellas de su rabia. Algunas veces me liberaba, para tener el placer de ver que me defendía y huía en la celda de los golpes que caían sobre mí con cada vez más violencia... Qué puedo deciros, señora, el altar mismo del amor no era exceptuado; mis movimientos no lo exponían nunca a la barbarie con que él dirigía sus ataques. Me encontraba cubierta de sangre.

—Acostémonos —dijo el sátiro, fuertemente inflamado por aquellos odiosos ejercicios—, quizás esto ha sido demasiado para ti, y desde luego no lo bastante para mí; no se cansa uno nunca de este santo ejercicio, y todo esto no es sino la pálida imagen de lo que verdaderamente querría hacer.

Nos fuimos a la cama; Raphaël, tan libertino como depravado, me hizo esclava toda la noche de sus criminales placeres. Aproveché un instante de calma en el que creí verle durante sus desenfrenos para suplicarle que me dijera si debía esperar poder salir algún día de aquella casa.

—Ciertamente —me respondió Raphaël— no has entrado para otra cosa; cuando los cuatro nos pongamos de acuerdo para concederte el retiro, lo tendrás con toda seguridad.

—Pero —le dije con idea de sacar algo de él—, ¿no teméis que chicas más jóvenes y menos discretas de lo que yo os prometo ser toda mi vida vayan a revelar lo que ocurre en vuestra casa?

—Eso es imposible —dijo el guardián.

—¿Imposible?

—Oh, desde luego.

—¿Podríais explicarme…?

—No, ese es nuestro secreto, pero todo lo que puedo decirte es que, discreta o no, te será absolutamente imposible revelar nada cuando estés fuera de lo que aquí ha ocurrido.

Dicho esto, me ordenó brutalmente cambiar de conversación y no me atreví a replicar. A las siete de la mañana me hizo llevar a mi cuarto por el hermano y uniendo a lo que él me había dicho lo que había sacado de Omphale, pude desgraciadamente convencerme de que sin duda no era sino demasiado cierto el que las más violentas actitudes eran tomadas contra las muchachas que abandonaban la casa, y que si no hablaban nunca era porque la muerte misma se les privaba de los medios.

Aterrorizada durante largo tiempo por esta terrible idea y tratando de disiparla a fin adquirir fuerzas para combatir la desesperación, me aturdí como mis compañeras.

En una semana recorrí todo el camino, y en este intervalo tuve la horrorosa posibilidad de convencerme de las diferentes perversiones, de las distintas infamias solitariamente ejercidas por turno por cada uno de aquellos monjes, pero en todos, como en Raphaël, la llama del libertinaje no se encendía más que con los excesos de la ferocidad, y como si aquel vicio de los corazones corrompidos debiera ser en ellos el órgano de todos los demás, jamás el placer les coronaba si no era al ejercerlo.

Fue de Antonin del que más tuve que sufrir; es imposible figurarse hasta qué punto llevaba aquel rufián la crueldad en el delirio de sus desenfrenos. Guiado siempre por aquellos tenebrosos extravíos que yo apenas puedo pintar, sólo ellos le disponían al goce, mantenían su fuego cuando los experimentaba y servían para perfeccionarlo cuando estaba en su última etapa. Asombrada, pese a todo, de que los medios que empleaba no lograsen, pese a su rigor, fecundar a alguna de sus víctimas, pregunté a nuestra decana cómo conseguía preservarse.

—Destruyendo sobre el terreno —me dijo Omphale— el fruto que su ardor formó; en cuanto se da cuenta de algún progreso, nos hace tragar tres días seguidos seis grandes vasos de una tisana que al cuarto día no deja ningún vestigio de su intemperancia; esto acaba de sucederle a Cornélie, y a mí me ha sucedido tres veces, y de ello no resulta ningún inconveniente para nuestra salud. Al contrario, parece que una se encuentra mucho mejor después. Por lo demás, él es el único, como ves —continuó mi compañera—, con el que pueda temerse ese peligro; la irregularidad de los deseos de los otros no nos da nada que temer.

Entonces Omphale me preguntó, hacia el decimosexto si no era cierto que Clément, entre todos ellos, era aquel del que menos quejas tenía.

—Ay —respondí—, me resulta muy difícil decir, entre una multitud de horrores e impurezas, que tan pronto repugnan como incitan a la rebeldía, cuál es el que menos me fatiga; estoy harta de todos y querría estar ya fuera, fuese cual fuera la suerte que me esperara.

—Pues sería posible que pronto estuvieras satisfecha —continuó Omphale—, has venido aquí por casualidad, no contaban contigo; ocho días antes de tu llegada acababan de despedir a una, y nunca proceden a esta operación sin estar seguros de la sustitución. Va a venir una nueva, y así tus deseos podrán cumplirse. Por otra parte, estamos en vísperas de la fiesta; es raro que caiga esta fecha sin traerles algo; o bien seducen a alguna muchacha a través de la confesión o bien encierran a alguna, pero raro es que por este acontecimiento no haya alguna desgraciada que sirva de presa.

Al fin llegó aquella famosa fiesta, ¿podríais imaginaros, señora, a qué impiedad monstruosa se entregaron aquellos monjes con motivo de aquel acontecimiento? Se les ocurrió que un milagro visible multiplicaría por dos el esplendor de su reputación, y, en consecuencia, revistieron a Florette, la más pequeña y la más joven de entre nosotras, con todos los ornamentos de la Virgen, la ataron al muro del altar con cuerdas que no se veían y le mandaron que levantara con compunción los brazos hacia el cielo cuando se elevara la hostia. Como aquella desgraciada criaturita estaba amenazada por el más cruel de los tratos si llegaba a decir una sola palabra o a equivocar su papel, se las arregló lo mejor que pudo, y el fraude tuvo todo el éxito que de él podía esperarse; el pueblo se extasió ante el milagro, dejó ricas ofrendas a la virgen y volvió a casa más convencido que nunca de las gracias de aquella madre celestial.

Quisieron nuestros libertinos, para completar su impiedad, que Florette se presentara a la cena con la misma vestimenta que le había proporcionado tantos homenajes, y cada uno de ellos inflamó sus odiosos deseos, sometiéndola con aquel atuendo a la irregularidad de sus caprichos. Excitados por este primer crimen, los monstruos no se contentaron con él; a continuación la hicieron tenderse, desnuda, boca abajo, sobre una gran mesa, encendieron velas, colocaron a su cabecera la imagen de nuestro salvador y osaron consumar sobre aquella infeliz el más temible de nuestros misterios. Me desvanecí ante aquel horrible espectáculo, me fue imposible soportarlo. Al ver aquello, Raphaël dijo que para amansarme era preciso que a mi vez yo sirviera de altar. Me agarraron, me colocaron en el mismo lugar que Florette, y el infame italiano, con episodios aún más atroces y aún más sacrílegos, consumó sobre mí el mismo horror que acababa de llevar a cabo sobre mi compañera. Me retiraron de allí exánime, tuvieron que llevarme a mi habitación, donde durante tres días lloré con lágrimas harto amargas el crimen horrible para el que, a mi pesar, había servido... Este recuerdo aún desgarra mi corazón señora, no puedo pensar en ello sin derramar lágrimas; la religión es en mí efecto del sentimiento, todo lo que la ofende o la ultraja hace que la sangre mane de mi corazón.

A todo esto, no nos dio la impresión de que la nueva compañera que esperábamos hubiera sido cogida entre las gentes que había atraído la fiesta. Todo siguió igual durante unas semanas, hasta que un nuevo acontecimiento vino a redoblar mi inquietud. Hacía ya más de un mes que yo estaba en aquella odiosa casa, cuando Raphaël entró una mañana, hacia las nueve, en nuestra torre. Parecía muy excitado, en su mirada se pintaba una especie de desvarío; nos examinó a todas, nos colocó a una tras otra en su postura preferida y se detuvo especialmente en Omphale. Pasó varios minutos contemplándola en aquella postura, se agitó sordamente, se entregó a alguna de sus fantasías predilectas, pero nada consumó... Luego, haciendo que se levantara, la observó durante algún tiempo con ojos severos y la ferocidad impresa en su rostro:

—Nos habéis servido bien —dijo al fin—, la sociedad os despide, os traigo vuestra licencia; preparaos, a la entrada de la noche vendré a buscaros.

Dicho esto la examina con la misma expresión, la coloca en la misma postura y, sin molestarla un instante, sale bruscamente de la habitación.

En cuanto estuvo fuera, Omphale se echó en mis brazos.

—Ah —me dijo llorando—, he aquí el momento que he deseado tanto como he temido... ¿Qué va a ser de mí, Dios santo?

Hice todo lo que pude para tranquilizarla, pero nada lo consiguió; me juró del modo más expresivo que lo haría todo para librarnos y para querellarse contra aquellos traidores si disponía de la posibilidad de hacerlo, y el modo como me lo prometió no me permitió dudar ni un momento de que lo haría, o bien que la cosa era imposible. El día transcurrió como de costumbre, y hacia las seis Raphaël subió.

—Bueno —dijo bruscamente a Omphale—, ¿estáis lista?

—Sí, padre mío.

—Partamos, partamos inmediatamente.

—Permitid que bese a mis compañeras.

—Bueno, bueno, es inútil —dijo el monje, tomándola por el brazo—, os esperan, seguidme.

Entonces ella preguntó si debía llevarse sus cosas.

—Nada, nada —dijo Raphaël—, ¿no pertenecen todas a la casa? Ya no necesitáis todo eso.

Luego, echándose atrás como alguien que ha hablado demasiado.

—Todas esas ropas no os servirán, os haréis otras a medida que os sentarán mucho mejor.

Pregunté al monje si me permitiría acompañar a Omphale sólo hasta la puerta de la casa, pero me respondió con una mirada tan feroz y tan dura, que retrocedí de espanto sin repetir mi ruego. Nuestra infortunada compañera salió mirándome con ojos llenos de inquietud y de lágrimas, y en cuanto estuvo fuera, las tres nos abandonamos a las penas que esta separación nos producía. Media hora después, Antonin vino a buscarnos para la cena; Raphaël no apareció hasta aproximadamente una hora después de que hubiésemos bajado, parecía muy agitado, habló en voz baja con frecuencia a los demás y no obstante todo transcurrió como de costumbre. Sin embargo, observé, como Omphale nos había dicho, que nos hicieron subir mucho más pronto a nuestras habitaciones, y que los monjes, que bebieron mucho más de lo que tenían por costumbre, se contentaron con excitar sus deseos, sin llegar nunca a consumarlos. ¿Qué conclusiones sacar de estas observaciones? Yo las hice, porque en semejantes ocasiones se está atenta a todo, pero en cuanto a las consecuencias no tuve ánimo para deducirlas, y quizá no os diera cuenta de estas particularidades a no ser por el efecto que me hicieron.

Pasamos dos días esperando noticias de Omphale, a veces persuadidas de que no faltaría a su juramento, otras convencidas de que las crueles medidas que se tomarían con ella la privarían de toda posibilidad de sernos útil; al fin desesperamos y nuestra inquietud se hizo aún más viva. Al cuarto día de la marcha de Omphale, nos hicieron bajar a la cena como estaba previsto, pero cual no sería la sorpresa de las tres al ver a una nueva compañera entrar por una puerta al tiempo que nosotras aparecíamos por la nuestra.

—Ésta es la que la sociedad destina a sustituir a la recientemente partida, señoritas —nos dijo Raphaël—; tened la bondad de vivir con ella como una hermana, y de aliviar su suerte en todo lo que de vosotras dependa. Sophie —me dijo entonces el superior—, vos sois la mayor de la clase, y os asciendo al puesto de decana; ya conocéis los deberes del mismo, cuidad de cumplirlos con exactitud.

Me sentía abatida por este empleo, me habría gustado negarme, pero no pudiendo hacerlo, perpetuamente obligada a sacrificar mis deseos y mis voluntades a los de aquellos viles hombres, me incliné y le prometí que haría todo lo posible para que estuviera satisfecho.

Entonces retiraron del busto de nuestra compañera las manteletas y las gasas que cubrían su talle y su cabeza, y vimos a una muchacha de unos quince años, con la más interesante y delicada de las facetas. Sus ojos, aunque humedecidos por las lágrimas, nos parecieron soberbios, los alzó graciosamente hacia cada una de nosotras y puedo decir que en mi vida he visto miradas más enternecedoras; tenía largos cabellos rubio ceniza que flotaban sobre sus hombros en bucles naturales, una boca fresca y bermeja, la cabeza noblemente colocada y algo tan seductor en el conjunto, que era imposible verla sin sentirse involuntariamente atraída por ella. Pronto supimos por ella misma que se llamaba Octavie, que era hija de un gran negociante de Lyon, que acababa de ser educada en París y que volvía a casa de sus padres con una institutriz cuando, atacada en plena noche entre Auxerre y Vermenton, la habían raptado contra su voluntad para llevarla a aquella casa, sin que nunca hubiera podido tener noticias del coche que la conducía ni de la mujer que la acompañaba; hacía una hora que estaba encerrada sola en una habitación baja y que en ella se entregaba a la desesperación cuando fueron a buscarla para reunirla con nosotras, sin que ningún monje le hubiera aún dicho una sola palabra.

Nuestros cuatro libertinos, extasiados ante tantos encantos, no tuvieron fuerzas sino para admirarlos; el imperio de la belleza impone el respeto, el más corrompido facineroso le rinde, pese a todo, una especie de culto que no se infringe sin remordimiento. Pero unos monstruos como los que conocemos hicieron aflojar poco a poco tales frenos.

—Vamos señorita —dijo el guardián—, dejadnos ver, os lo ruego, si el resto de vuestros encantos responde a lo que la naturaleza ha puesto con tanta profusión sobre vuestro rostro.

Y como aquella hermosa muchacha se turbara, como enrojeciera sin comprender lo que querían decirle, el brutal Antonin la cogió por el brazo y le dijo con juramentos afrentosos:

—¿No comprendéis, remilgada, que lo que se os dice es que os pongáis inmediatamente desnuda?

Nuevos llantos... nuevas defensas, pero Clément la agarra en seguida y en un minuto hace desaparecer todo lo que vela el pudor de aquella encantadora criatura. Jamás, sin duda se vio una piel más blanca, jamás formas más armoniosas, pero no es mi pincel el más adecuado para pintar lo que alcancé a divisar de belleza; y sin embargo, tanta frescura, tanta inocencia y delicadeza iban a ser presa de aquellos bárbaros. Sólo para ser hollados por ellos parecía haberle otorgado la naturaleza tantos favores; el círculo se formó a su alrededor, y tal como yo lo había hecho, ella lo recorrió en todos los sentidos. El ardiente Antonin no tiene fuerzas para resistir, un atentado cruel sobre aquellos nacientes encantos determina el homenaje y el incienso humea a los pies del dios... Raphaël ve que es hora de pensar en cosas más serias, no está en situación de esperar, se apodera de la víctima, la coloca según sus deseos, y como aquélla no se pliega a sus deseos, ruega a Clément que la sujete. Octavie llora, no la oyen; el fuego brilla en las miradas de este execrable italiano; dueño de la plaza que tomará por asalto, diríase que no considera sus avenidas sino para prevenir todas las resistencias; ningún ardid, ningún preparativo es empleado. Por mucha desproporción que exista entre el asaltante y la rebelde, aquél no deja de lanzarse a la conquista; un grito conmovedor de la víctima nos anuncia al fin su derrota. Pero nada enternece a su orgulloso vencedor; cuanto más pide gracia la muchacha, con más ferocidad la estruja él, y la desgraciada, siguiendo mi ejemplo, es ignominiosamente infamada sin dejar de ser virgen.

—Jamás laurel alguno me resultó más difícil —dijo Raphaël mientras se reponía—, creí que por primera vez en mi vida iba a fracasar al intentar obtenerlo.

—Yo la tomaré por ahí —dijo Antonin sin dejarla levantarse—, hay más de una brecha en la muralla y vos no habéis tomado más que una.

Así dijo, y se lanzó fieramente al combate, en un minuto era dueño de la plaza; se oyen nuevos gemidos...

—Alabado sea Dios —dijo aquel monstruo horrible—, sin las quejas de la vencida habría dudado de la derrota, y no aprecio mi triunfo más que cuando cuesta lágrimas.

—En verdad —dijo Jérôme, adelantándose con los látigos en la mano—, yo tampoco turbaré en absoluto esta dulce actitud, que favorece al máximo mis designios.

Considera, toca, palpa, y el aire zumba inmediatamente con un horrible silbido. Las bellas carnes de Octavie cambian de color, el tinte del más vivo encarnado se mezcla con el esplendor del lirio, pero lo que quizá divirtiera un instante al amor si la moderación dirigiera tales manías, se convierte inmediatamente en un crimen contra sus leyes. Nada frena al pérfido monje, más aumenta el llanto, más estalla la severidad del regente... todo es tratado del mismo modo, nada obtiene gracia a sus ojos. Pronto no queda una sola parte de aquel hermoso cuerpo que no lleve la huella de su barbarie, y al final el pérfido apacigua sus ardores sobre los sangrientos vestigios de sus odiosos placeres.

—Yo seré más tierno que vosotros —dice Clément, agarrando a la bella entre sus brazos y plantando un beso impuro sobre aquella boca de coral... he aquí el templo en el que voy a hacer mi sacrificio...

Nuevos besos sobre aquella boca adorable, formada por la propia Venus, le inflaman aún más. Obliga a aquella infortunada muchacha a las infamias que le deleitan, y el órgano feliz de los placeres, el más dulce asilo del amor, se mancilla al fin por sus horrores.

El resto de la velada fue semejante a lo que ya conocéis, pero la belleza, la conmovedora edad de aquella muchacha inflamaba aún más a aquellos degenerados, todas sus atrocidades se multiplicaron y la saciedad antes que la piedad, al devolver a aquella infortunada a su habitación, le restituyó al menos por unas horas la tranquilidad que necesitaba. Me habría gustado poder consolarla al menos aquella primera noche, pero obligada a pasarla con Antonin, hubiera sido yo, por el contrario, quien me habría encontrado necesitada de socorro; había tenido la desgracia no de gustar, que la palabra no sería adecuada, sino de excitar más ardientemente que otra los infames deseos de aquel rufián, y pocas semanas transcurrían desde hacía tiempo en que no pasase cuatro o cinco noches en su aposento. Al volver a la mañana siguiente encontré a mi nueva compañera llorando, le dije todo lo que a mí me habían dicho para calmarme, sin lograrlo con ella más de lo que lo habían conseguido conmigo. No es fácil consolar de un cambio de suerte tan súbito; aquella muchacha, por otra parte, poseía un gran fondo de piedad, de virtud, de honor y de sentimiento, y su estado le pareció tanto más cruel. Raphaël, a quien había agradado mucho, pasó varias noches seguidas con ella, y poco a poco hizo como las demás, se consoló de sus desgracias con la esperanza de verlas acabar algún día. Omphale había tenido razón al decirme que la antigüedad no contaba para las despedidas, que sólo dictadas por el capricho de los monjes o acaso por algunas investigaciones ulteriores, podían sufrirse al cabo de ocho días o de veinte años; no hacía seis semanas que Octavie estaba con nosotras, cuando Raphaël vino a anunciarle su marcha... nos hizo las mismas promesas que Omphale y desapareció como aquella, sin que jamás hayamos sabido lo que fue de ella.

Estuvimos alrededor de un mes sin ver llegar a sustituta alguna. Fue durante este intervalo cuando, como Omphale, tuve ocasión de persuadirme de que nosotras no éramos las únicas muchachas que habitaban en aquella casa y de que sin duda otro edificio contenía a un número de ellas igual al nuestro, pero Omphale no pudo sino sospechar y mi aventura, mucho más convincente, confirmó totalmente mis sospechas; he aquí lo que ocurrió. Acababa de pasar la noche con Raphaël y salía de su habitación como de costumbre hacia las siete de la mañana, cuando un hermano, tan viejo y tan asqueroso como el nuestro y al que nunca había visto pero no mudo como había creído Omphale, llegó de repente al corredor con una chica muy alta, de dieciocho a veinte años, que me pareció muy bella y digna de ser pintada. Raphaël, que debía llevarme a mi cuarto, se hacía esperar; llegó cuando yo estaba completamente frente a aquella muchacha, que el hermano no sabía donde ocultar para sustraerla a mis miradas.

—¿Dónde lleváis a esa criatura? —dijo furioso el guardián.

—A vuestro aposento, reverendo padre —dijo el abominable mercurio—. Vuestra Grandeza olvida que me lo ordenó anoche.

—Os dije a las nueve, al salir de misa.

—A las siete, monseñor —me dijisteis que deseabais verla antes de vuestra misa.

Y durante todo este tiempo yo observaba a aquella compañera, que me miraba con idéntico asombro.

—Pues bien, qué más da —dijo Raphaël, llevándome a su habitación y haciendo entrar en ella a aquella muchacha—. Mirad, Sophie —me dijo, después de haber cerrado su puerta y haber hecho esperar al hermano—, esta dulcinea ocupa en otra torre el mismo puesto que vos ocupáis en la vuestra; no hay inconveniente en que nuestras dos decanas se conozcan, y para que el conocimiento sea más completo, Sophie, voy a hacer que veas a nuestra Marianne desnuda.

Aquella Marianne, que me pareció una muchacha muy descarada, se desnudó al momento, y Raphaël me ordenó que me prestara delante de él a los ataques de esta nueva Safo que, llevando su descaro a los últimos extremos, quiso triunfar sobre mi poder. El espectáculo, renovando dos o tres veces, inflamó de nuevo los deseos del monje, cogió a Marianne y la sometió a los placeres de su elección, mientras yo le servía de perspectiva. Al fin contento de esta nueva perversión, nos envió a cada una a nuestro rincón, recomendándonos silencio.

Prometí el secreto que de mí se exigía, segura ahora de que no éramos nosotras las únicas que servíamos a los placeres monstruosos de aquellos desenfrenados libertinos.

A todo esto, Octavie pronto olvidada; una pequeña campesina de doce años, fresca y bonita, pero muy inferior a ella en belleza, fue el objeto que la reemplazó. Florette marchó a su turno, jurándome como Omphale darme noticias suyas y no lográndolo más que aquella infortunada. Fue reemplazada por una dijonesa de quince años, que me privó de los flacos favores de Antonin, cuando me di cuenta de que si era borrada de los favores de aquel libertino estaba en vísperas también de perder igualmente mi reputación entre los demás. La inconstancia de aquellos desgraciados me hizo temblar sobre mi destino, vi bien que anunciaba mi jubilación, y no estaba sino demasiado segura de que aquella cruel despedida era una sentencia de muerte, como para no estar alarmada un instante. Desgraciada como lo era, ¿podía, aún, aferrarme a la vida, y no era la mayor felicidad que podía ocurrirme el salir de ella? Aquellas reflexiones me consolaron, y me hicieron esperar mi destino con tanta resignación, que no empleé medio alguno para hacer subir mi reputación. Los malos tratos me agobiaban, no había momento en que no se quejaran de mí, ni día en que no fuese castigada; clamaba al cielo y esperaba mi sentencia; quizás estaba en vísperas de recibirla cuando la mano de la providencia, cansada de atormentarme del mismo modo, me arrancó de aquel cruel abismo para sumergirme inmediatamente en otro. Pero no adelantemos los acontecimientos y empecemos por contaros el que al fin nos liberó a todas de las manos de los degenerados de aquella indigna casa.

Desde entonces, me ocupé con fervor de evadirme de aquella afrentosa casa; resolví intentar hacer todo lo posible, pero era preciso que los horrorosos ejemplos del vicio recompensado se mantuviera aún en aquella circunstancia, como siempre lo habían estado en cada acontecimiento de mi vida; estaba escrito que los que me habían atormentado, humillado sujeta por cadenas, recibirían sin cesar ante mis ojos el premio a sus fechorías, como si la providencia se hubiese empeñado en mostrarme la inutilidad de la virtud; funesta lección que no me corrigió en absoluto y que, aunque debiera escapar aún a la espada suspendida sobre mi cabeza, no me impedirá seguir siendo la esclava de esa divinidad de mi corazón.

Una mañana, sin que nos lo esperásemos, Antonin apareció en nuestro cuarto y nos anunció que el reverendo padre Raphaël, pariente y protegido del Santo Padre, acababa de ser nombrado por Su Santidad general de la orden de San Francisco:

—Y yo, hijas mías —nos dijo—, paso al guardianado de Lyon; dos nuevos padres van a sustituirnos muy pronto en esta casa, quizá lleguen hoy mismo; no les conocemos, así que es tan posible que os manden a vuestras casas como que os conserven, pero sea cual sea vuestro destino, os aconsejo por vuestro bien y por el honor de los dos colegas a los que dejamos aquí, que ocultéis los detalles de nuestra conducta y que no confeséis más que lo que resulte imposible de ocultar.

Una noticia tan halagadora para nosotras no consentía que negáramos a aquel monje lo que parecía desear; le prometimos todo lo que quería, y el libertino quiso aún despedirnos a las cuatro. El entrevisto final de las desgracias o la esperanza en los monjes que debían llegar nos hizo soportar los últimos golpes sin quejas. Nos sirvieron la cena como de costumbre; alrededor de dos horas más tarde, el padre Clément entró en nuestra habitación con dos religiosos venerables por su edad y por su rostro.

—Conceded, padre —dijo uno de ellos a Clément—, conceded que este desenfreno es horrible, y que resulta singular que el cielo lo haya soportado tanto tiempo.

Clément lo concedió humildemente todo, se excusó diciendo que ni él ni sus colegas habían innovado nada, y que unos y otros lo habían hallado todo en el estado en que lo devolvían; que a decir verdad los sujetos cambiaban, pero que incluso esta variación la habían hallado establecida, y que en consecuencia no habían hecho otra cosa que seguir la costumbre indicada por sus predecesores.

—Pase —repuso el mismo padre que me pareció ser el nuevo guardián y que en efecto lo era—, pase, pero destruyamos rápidamente este execrable libertinaje, padre, que repugnaría entre gentes del mundo, y que os dejo imaginar lo que debe ser para unos religiosos.

Entonces aquel honesto eclesiástico nos preguntó qué queríamos hacer. Todas respondimos que deseábamos volver a nuestros pueblos o con nuestras familias.

—Así será, hijas mías —dijo el monje—, e incluso os daré a cada una la suma necesaria para volver, pero será preciso que partáis una tras otra, con dos días de intervalo; y que nunca reveléis nada de lo que ha ocurrido en esta casa.

Lo juramos..., pero el guardián no se conformó con aquel juramento; nos exhortó a que nos acercáramos a los sacramentos; ninguna de nosotras se negó y allí nos hizo jurar, al pie del altar, que velaríamos para siempre lo que había ocurrido en aquel convento. Yo lo hice, igual que las demás, y si ante vos rompo aquella promesa, señora, es porque tengo más en cuenta el espíritu que la letra del juramento; su objeto era que nunca se presentara querella, y al contaros estas aventuras estoy segura de que nunca resultará de ello nada molesto para la orden de aquellos padres. Mis compañeras partieron las primeras, y como nos estaba prohibido citarnos y habíamos sido separadas desde el momento de la llegada del nuevo guardián, no volvimos a encontrarnos. Habiendo solicitado ir a Grenoble, me dieron dos luises para llegar hasta allí; recogí las ropas que tenía al llegar a aquella casa, encontré en ellas los ocho luises que me quedaban aún, y llena de satisfacción por huir al fin para siempre de aquel espantoso asilo de vicio y de salir de él de un modo tan dulce e inesperado, me hundí en el bosque y me encontré en la carretera de Auxerre, en el mismo lugar en que la había abandonado para ir a echarme yo misma en el lazo, tres años justos después de aquella tontería, es decir, con veinticinco años menos unas semanas. Mi primer cuidado fue ponerme de rodillas y pedir a Dios nuevos perdones por las faltas involuntarias que había cometido; lo hice aún con más compunción que cuando lo había hecho al lado de los altares mancillados de la casa infame que abandonaba con tanta alegría. Lágrimas de pena cayeron luego de mis ojos. Ay, me decía, era pura cuando en otro tiempo dejé aquella misma carretera, guiada por un principio de devoción tan funestamente engañado... ¡Ay Dios mío! y en qué triste estado podía verme ahora. Calmadas un poco estas tristes reflexiones por el placer de verme libre, seguí mi camino. Para no aburriros más tiempo, señora, con detalles con los que temo cansar vuestra paciencia, no me detendré en adelante, si vos lo tenéis a bien, más que en los acontecimientos por los que supe cosas esenciales o que cambiaron aún el curso de mi vida. Habiendo descansado unos días en Lyon, puse un día por azar los ojos en una gaceta extranjera perteneciente a la mujer en cuya casa me alojaba, y cuál no sería mi sorpresa al ver en ella el crimen coronado una vez más, al ver en ella situado en el pináculo a uno de los principales autores de mis males. Rodin, aquel infame que tan cruelmente me había castigado por haberle evitado un asesinato, obligado a abandonar Francia por haber cometido otros, sin duda, acababa, según aquella hoja de noticias, de ser nombrado primer cirujano del rey de Dinamarca, con un salario muy considerable. ¡Que tenga suerte el facineroso, me dije, que la tenga puesto que la providencia lo quiere, y tú, desgraciada criatura, sufre sola, sufre sin quejarte, puesto que está escrito que las tribulaciones y las penas deben ser la horrible herencia de la virtud!

Salí de Lyon al cabo de tres días para tomar el camino del Delfinado, llena de la loca esperanza de que un poco de prosperidad me esperaba en aquella provincia. Apenas me hallé a dos leguas de Lyon, viajando siempre a pie, como era mi costumbre, con un par de camisas y de pañuelos en los bolsillos, encontré a una vieja que me abordó con aire de dolor y que me conjuró a que le hiciera alguna caridad. De natural compasivo, no conociendo otro encanto en el mundo comparable al de hacer un favor, saqué al momento mi bolsa con idea de sacar de ella unas monedas y dárselas a aquella mujer, pero la indigna criatura, más rápida que yo, aunque la había creído vieja y cansada, se apoderó rapazmente de mi bolsa, me tiró al suelo de un vigoroso puñetazo en el estómago y no volvió a aparecer ante mí, cuando me levanté, sino a cien pasos de allí, rodeada por cuatro pillos que me hacían gestos de amenaza en el caso de que me atreviera a acercarme. ¡Oh, santo cielo!, exclamé con amargura, ¿es, pues, imposible que ningún movimiento virtuoso pueda nacer de mí sin ser castigado al instante con las desgracias más crueles que puedan temerse en el universo? En este terrible momento todo mi valor estuvo a punto de abandonarme. Hoy pido perdón al cielo por ello, pero la rebelión estuvo muy cerca de mi corazón. Se me ofrecían horrorosos partidos; quise o bien ir a unirme a los bribones que tan cruelmente acababan de herirme o volver a Lyon para entregarme al libertinaje... Dios me concedió la gracia de no sucumbir, y aunque la esperanza que encendió de nuevo en mi alma no fue más que la aurora de adversidades aún más terribles, le agradezco no obstante el haberme apoyado. La cadena de desgracias que hoy me lleva al cadalso, aun siendo inocente, nunca me valdrá otra cosa que la muerte; otros partidos me hubieran valido la vergüenza, los remordimientos, la infamia, y el cadalso es para mí mucho menos cruel que el resto.

Seguí mi camino, decidida a vender en Vienne los pocos efectos que me quedaban para llegar a Grenoble. Caminaba

tristemente, cuando a un cuarto de legua de aquella ciudad vi
en la llanura, a la derecha del camino, a dos hombres a caballo
que pisoteaban a un tercero, y que, tras haberle dejado como
muerto, escaparon a rienda suelta. Este horroroso espectáculo
me enterneció hasta llorar... Ay, me dije, he aquí a un desgraciado que es más de compadecer aún que yo; a mí al menos
me quedan la salud y la fuerza, puedo ganarme la vida, y él, si
no es rico, si se encuentra en el mismo caso que yo, está im-
posibilitado para el resto de sus días. ¿Qué va a ser de él? Por
mucho que hubiera debido defenderme de aquellos sentimientos de conmiseración, por muy cruelmente que fuera a
ser por ellos castigada, no pude resistirme a entregarme a ellos
una vez más. Me acerqué a aquel moribundo, tenía un poco
de agua espirituosa en un frasco y se la hice respirar; abre los
ojos a la luz, sus primeros movimientos son los del agradecimiento, me animan a seguir con mis cuidados; desgarro una
de mis camisas para vendarle, uno de los pocos bienes que me
quedan para prolongar mi vida; enjugo la sangre que mana de
algunas de sus llagas, le hago beber un poco de vino del que
llevaba una ligera provisión en otro frasco para reanimar mi
marcha en los momentos de cansancio, empleo el resto en
humedecer sus contusiones. Al fin el desgraciado recupera de
golpe sus fuerzas y su ánimo; aunque a pie y con poco equi-
paje, no parecía sin embargo de mediocre condición; tenía algunos efectos de valor, sortijas, un reloj y otras alhajas, pero
muy dañadas por su aventura. Por fin me pregunta, en cuanto
puede hablar, quién es el ángel bienhechor que le presta socorro y qué puede hacer para testimoniarle su gratitud. Teniendo
aún la ingenuidad de creer que un alma atada por el reconocimiento debía ser mía sin segundas, creo poder disfrutar
tranquilamente del dulce placer de hacer partícipe de mis lágrimas a quien acaba de derramar las suyas en mis brazos, le
cuento todas mis aventuras, las escucha con interés y cuando
he terminado con la última catástrofe que acaba de sucederme,

cuyo relato le hace ver el cruel estado de miseria en que me encuentro:

—Cuán feliz soy —exclama— al poder al menos reconocer todo lo que acabáis de hacer por mí. Me llamo Dalville —continúa aquel aventurero—, poseo un hermosísimo castillo en las montañas, a quince leguas de aquí; os ofrezco retiraros a él si queréis seguirme, y para que esta proposición no alarme a vuestra delicadeza, voy a explicaros inmediatamente en qué me podéis ser útil. Estoy casado, mi mujer necesita a su lado una mujer de confianza; hemos despedido recientemente a un mal sujeto, os ofrezco su puesto.

Agradecí humildemente a mi protector y le pregunté por qué avatar un hombre como él parecía ser se arriesgaba a viajar sin séquito y se exponía, como acababa de ocurrirle, a ser maltratado por unos bribones.

—Un tanto repleto, joven y vigoroso, tengo desde hace tiempo —me dijo Dalville— la costumbre de venir desde mi casa a Vienne de este modo; mi salud y mi bolsa salen ganando con ello. No quiere decirse que esté en caso de tener que mirar el gasto, ya que gracias a Dios soy rico y vos veréis pronto la prueba de ello si me hacéis la merced de venir a mi casa. Aquellos dos hombres a los que veis que acabo de enfrentarme son dos caballeretes de la región que no tienen más que la capa y la espada, uno es guardaespaldas y el otro gendarme, es decir los dos estafadores. La semana pasada les gané cien luises en una casa de Vienne; lejos de reunir entre los dos la trigésima parte, me conformé con su palabra, les encuentro hoy, les pido lo que me deben... y ya habéis visto cómo me han pagado.

Deploré con aquel honrado gentilhombre la doble desgracia de que era víctima, cuando me propuso que volviéramos a ponernos en camino.

—Gracias a vuestros cuidados me siento un poco mejor —dijo Dalville—; se acerca la noche, ganemos un albergue que dista alrededor de dos leguas de aquí, desde donde, a caballo, que conseguiremos allí, mañana por la mañana, podremos quizá llegar a mi casa en la misma tarde.

Absolutamente decidida a aprovechar el socorro que el cielo parecía enviarme, ayudo a Dalville a ponerse en marcha, le sujeto durante el camino y, dejando absolutamente cualquier ruta conocida, nos adentramos por senderos de cabra hacia los Alpes. Encontramos, efectivamente, a cerca de dos leguas, la posada que había indicado Dalville, cenamos alegremente en ella, juntos y honestamente; después de la comida me recomienda a la dueña de la casa, que me hace acostar a su lado, y al día siguiente, en dos mulas de alquiler a las que escoltaba a pie un criado de la posada, ganamos las fronteras del Delfinado, dirigiéndonos siempre hacia las montañas. Dalville, muy maltratado, no pudo soportar el recorrido entero, y a mí, que poco acostumbrada a viajar de aquel modo, me encontraba igualmente muy incómoda, no me desagradó. Paramos en Virieu, donde recibí los mismos cuidados y las mismas deferencias que mi guía, y al día siguiente proseguimos nuestra marcha, siempre en la misma dirección. Hacia las cuatro de la tarde llegamos al pie de las montañas; allí el camino se hacía casi impracticable. Dalville aconsejó al mulero que no me abandonara por temor a un accidente, y nos adentramos en las gargantas; no hicimos más que dar vueltas y subir durante cerca de cuatro leguas, y estábamos tan lejos de todo lugar habitado y de toda ruta humana que me creí al fin del universo. A pesar mío vino a apoderarse de mí un poco de inquietud. Al perderme entre las rocas inabordables me acordé de los desvíos del bosque del convento de Santa María de los Bosques, y la aversión que había tomado a todos los lugares aislados me hizo temblar ante aquél. Al fin vimos un castillo encaramado sobre el borde de un precipicio terrible y que parecía suspendido de la punta de una roca escarpada; daba más bien la impresión de una morada de fantasmas que de la de gentes nacidas para la sociedad. Vimos aquel castillo sin que ningún camino pareciera conducir a él; el que seguíamos, sólo usado por las cabras, lleno de guijarros por todos lados, llevaba a él, sin embargo, pero por infinitos vericuetos. «He aquí mi casa», me dijo Dalville, en cuanto pensó que el castillo había impresionado mi vista, y cuando le testimonié mi asombro al verle habitar en semejante soledad, me respondió bruscamente que se vivía donde se podía. Quedé tan sorprendida como asustada por su tono; nada escapa en la desgracia, una inflexión más o menos pronunciado de aquellos de los que dependemos ahoga o reanima la esperanza. Sin embargo, como ya no era hora de volverse atrás, hice como si nada ocurriera. Al fin, a fuerza de rodear aquel viejo caserón, nos encontramos frente a él. Dalville bajó de su mula y, diciéndome que hiciera lo mismo, devolvió las dos al criado, le pagó y le dijo que se volviera. Otra ceremonia que me desagradó soberanamente. Dalville se dio cuenta de mi turbación.

—¿Qué teméis, Sophie? —me dijo mientras nos encaminábamos a pie hacia su morada—. No estáis fuera de Francia, este castillo está en las fronteras del Delfinado, pero sigue dependiendo de él.

—Bien, señor —respondí—, pero ¿cómo puede habérseos ocurrido instalaros en semejante lugar?

—¡Oh!, no es ningún lugar horrible —me dijo Dalville mirándome socarronamente a medida que avanzábamos—, no es exactamente un horrible lugar, hija mía, pero tampoco es la morada de gentes demasiado honradas.

—¡Ah!, señor —respondí—, me hacéis temblar ¿Dónde, pues, me lleváis?

—Te llevo al servicio de falsos monederos, furcia —me dijo Dalville, agarrándome por el brazo y haciéndome atravesar por fuerza un puente levadizo que se bajó a nuestra llegada y volvió a alzarse inmediatamente—. Hete aquí —añadió en cuanto estuvimos en el patio—, ¿ves es pozo? —continuó mostrándome una enorme y profunda cisterna cerca de la puerta, cuya rueda hacían moverse dos mujeres desnudas y encadenadas y que echaba agua a un depósito—. He aquí a tus compañeras, y he ahí tu ocupación, en la que trabajarás doce horas diarias dando vueltas a la rueda, siendo, como tus compañeras, bien y debidamente azotada cada vez que descanses; se te concederán seis onzas de pan negro y un plato de habas al día. En cuanto a tu libertad, renuncia a ella, nunca volverás a ver el cielo; cuando mueras de fatiga te echarán en aquel agujero que ves al lado del pozo, por encima de treinta o cuarenta que ya están en él, y te sustituirán por otra.

—¡Santo cielo!, señor —exclamé echándome a los pies de Dalville—. Dignaos recordar que os he salvado la vida, que emocionado un momento por el agradecimiento parecisteis ofrecerme la felicidad y que no era esto lo que podía esperarme.

—¿Qué es lo que entiendes por ese sentimiento de gratitud con el que te imaginas haberme cautivado? Razona mejor, triste criatura, ¿qué hacías cuando me socorriste? Entre la posibilidad de seguir tu camino y la de venir conmigo elegiste la última como un impulso que tu corazón te inspiraba… ¿Te entregabas, pues, al placer? ¿De dónde diablos sacas que yo esté obligado a recompensarte por los placeres que te ofreces y cómo ha podido ocurrírsete nunca que un hombre como yo, que nada en el oro y la opulencia, que un hombre que, con más de un millón de renta, está dispuesto a pasar a Venecia para disfrutarla agradablemente, se digne rebajarse a deber algo a una miserable de tu clase? Aunque me hubieras devuelto la vida no te debería nada, puesto que no has trabajado más que en tu provecho. Al trabajo, esclava, al trabajo. Aprende que la civilización, al subvertir las instituciones de la naturaleza, no le retiró, sin embargo, sus derechos; creó originariamente seres fuertes y débiles; su intención fue que éstos estuvieran siempre subordinados a aquéllos, como el cordero lo está siempre al león, como el insecto lo está al elefante. La habilidad y la inteligencia del hombre cambiaron la situación de los individuos; no fue ya la fuerza física la que determinó el rango, fue la que adquirió por sus riquezas. El hombre más rico se convirtió en el hombre más fuerte, el más pobre se convirtió en el más débil, pero al margen de los motivos en que se fundaba el poder, la prioridad del fuerte sobre el débil estuvo siempre en las leyes de la naturaleza, a quien le era igual que la cadena que cautivaba al débil fuera tenida por el más rico o por el más fuerte, y que aplastara al más débil o bien al más pobre. Pero esos sentimientos de gratitud que reclamas, Sophie, los desconoce la naturaleza; nunca estuvo en sus leyes que el placer al que uno se entregaba al favorecer a otro se convirtiera en un motivo para el que recibía de renunciar a sus derechos sobre aquél. ¿Ves acaso en los animales, que nos sirven de ejemplo, alguno de esos sentimientos de los que presumes? Cuando yo te domino por mi riqueza o por mi fuerza, ¿es natural que te abandone mis derechos, o porque tú te has hecho un favor a ti misma o porque tu política te ha dictado el redimirme haciéndome un favor? Pero aunque el favor se hubiera hecho de igual a igual, jamás el orgullo de un alma elevada se dejará rebajar por la gratitud. ¿No es siempre humillado quien recibe de otro, y no paga suficientemente por sí misma esta humillación que experimenta al otro el favor que ha hecho? ¿No es un gozo para el orgullo el elevarse por encima de su semejante; necesita más el que hace un favor, y si el favor al humillar el orgullo del que lo recibe se convierte en un fardo para él, con qué derecho obligarle a conservarlo? ¿Por qué habría yo de consentir en dejarme humillar cada vez que me asesta sus miradas quien me hizo un favor? La ingratitud, en lugar de ser un vicio es, pues, la virtud de las almas orgullosas, tan cierto como que la beneficencia es la de las almas débiles; el esclavo la predica a su dueño porque la necesita, pero éste, mejor guiado por sus pasiones y por la naturaleza, no debe entregarse más que a lo que le favorece o le agrada. Que se hagan tantos favores como se quiera si en ello se halla placer, pero que no se exija nada por haber disfrutado.

A estos sofismos afrentosos, a los que Dalville no me dio tiempo de responder, dos criados me agarraron, según sus órdenes, me desnudaron y me encadenaron con mis dos compañeras, a las que me vi obligada a ayudar desde la primera noche, sin que se me permitiera descansar de la fatigosa marcha que acaba de hacer. No hacía un cuarto de hora que estaba en aquella fatal rueda, cuando toda la banda de los monederos, que acababa de terminar su jornada, vino a mi alrededor para examinarme, con su jefe a la cabeza. Todos me colmaron de sarcasmos y de impertinencias referentes a la marca envilecedora que inocentemente llevaba en mi desgraciado cuerpo. Acabada aquella dolorosa escena, se alejaron un poco; entonces Dalville, tomando un largo látigo de posta, colocado siempre a nuestro alcance, me dio con él cinco o seis golpes que me hicieron brotar la sangre.

—Así es como serás tratada, bribona —me dijo al aplicármelos—, cuando infortunadamente faltes a tu deber; no te hago esto por haber faltado a él, sino sólo para mostrarte cómo trato a las que lo hacen.

Como cada golpe me arrancaba la piel y nunca había sentido tan vivos dolores, lancé agudos gritos, debatiéndome en mis cadenas; aquellas contorsiones y aquellos alaridos hicieron reír a los monstruos que me observaban, y tuve la cruel satisfacción de enterarme entonces de que si hay hombres que, guiados por la venganza o por indignas voluptuosidades, pueden divertirse con el dolor de los demás, hay otros seres tan bárbaramente constituidos como para degustar los mismos encantos sin otro motivo que la tiranía o la más atroz curiosidad. El hombre es, pues, naturalmente malo, y en todas las situaciones de la vida, los males de su semejante pueden convertirse en execrables placeres para él.

Tres oscuros reductos, separados uno del otro, cerrados como prisiones, estaban alrededor de aquel pozo; uno de los criados que me habían atado me indicó el mío y me retiré tras haber recibido de él la porción de agua, de habas y de pan que me estaba destinada. Allí fue donde al fin pude abandonarme cómodamente al horror de mi situación. ¿Es posible, me decía, que haya hombres tan bárbaros como para apagar en ellos mismos el sentimiento de la gratitud, esta virtud a la que me entregaría con tanto gusto si alguna vez un alma honesta me pusiera en situación de experimentarla? ¿Puede, pues, ser desconocida esta virtud por los hombres, y quien la ahoga con tanta humanidad debe ser otra cosa que un monstruo? Estaba ocupada en estas reflexiones que entremezclaba con mis lágrimas, cuando de repente la puerta de mi celda se abrió; era Dalville. Sin decir palabra, sin pronunciar un sonido, pone en el suelo la vela con la que se alumbraba, se echa sobre mí como un animal feroz, me somete a sus deseos, rechazando a golpes las defensas que intento oponerle, desprecia las que son sólo fruto de mi espíritu, se satisface brutalmente, vuelve a tomar su luz, desaparece y cierra la puerta. Pues bien, me dije, ¿es posible llevar más lejos el ultraje y qué diferencia puede haber entre semejante hombre y el animal menos domesticado de los bosques?

A todo esto el sol sale sin que haya gozado de un solo instante de reposo. Nuestras celdas se abren, vuelven a encadenarnos y volvemos a emprender nuestro triste trabajo. Mis compañeras eran dos muchachas de veinticinco a treinta años, que aunque estragadas por la miseria y deformadas por el exceso de trabajo físico, anunciaban aún algunos rasgos de belleza; su talle era bello y bien puesto y una de las dos tenía aún soberbia caballera. Una triste conversación me dio a conocer que una y otra habían sido en diferentes épocas amantes de Dalville, una en Lyon, la otra en Grenoble; que las había llevado a aquel horrible asilo, donde todavía habían vivido unos años en condiciones de igualdad con él, y que como recompensa por los placeres que le habían dado las había condenado a este humillante trabajo. Por ellas supe que todavía en el momento pre-

sente él tenía una amante encantadora, pero que, más feliz que
ellas, le seguiría a Venecia, sin duda, donde estaba en vísperas de
trasladarse, si las considerables sumas que acababa de hacer
pasar últimamente a España le proporcionaban las letras de
cambio que esperaba para Italia, porque no quería llevarse su
oro a Venecia; nunca lo enviaba allí, siempre era a un país diferente del que pensaba habitar donde hacía pasar sus monedas
falsas por sus corresponsales. Por este medio, en el lugar en que
pensaba instalarse sólo era rico en papel de un reino diferente,
y sus manejos no podían nunca ser descubiertos y su fortuna
quedaba sólidamente establecida. Pero todo podía fallar en un
instante, y el retiro en que pensaba dependía totalmente de esta
última negociación en la que estaba comprometida la mayor
parte de sus tesoros; si Cádiz aceptaba sus piastras y sus luises
falsos, y por ello le enviaba a Venecia excelente papel, sería feliz
el resto de sus días; si la bribonada se descubría, corría el riesgo
de ser denunciado y ahorcado como lo merecía. Ay, me dije al
enterarme de aquellas particularidades, la providencia será por
una vez justa, no permitirá que un monstruo como éste triunfe
y las tres seremos vengadas. Hacia mediodía nos dieron dos
horas de descanso, que aprovechamos para ir, siempre por se-
parado, a respirar y a comer en nuestras habitaciones; a las dos
volvieron a encadenarnos y nos hicieron dar vueltas hasta la
noche, sin que nunca nos fuera permitido entrar en el castillo.
La razón por la que nos tenían desnudas cinco meses al año era
el calor insoportable con el trabajo excesivo que hacíamos y el
estar, por otra parte, según me aseguraron mis compañeras, más
al alcance para recibir los golpes que de cuando en cuando venía
a aplicarnos nuestro feroz dueño. En invierno nos daba un
pantalón y un chaleco ceñido a la piel, especie de hábito que,
cubriéndonos apretadamente, exponía al mismo tiempo con
facilidad nuestros desgraciados cuerpos a los golpes de nuestro
verdugo. Dalville no apareció en absoluto aquel primer día,
pero hacia medianoche hizo lo mismo que había hecho la vís-

pera. Quise aprovechar aquel momento para suplicarle que suavizara mi destino.

—¿Y con qué derecho? —me dijo el bárbaro—. ¿Sólo porque quiero satisfacer un momento mis fantasías contigo? ¿Es que voy a pedir a tus pies favores según los cuales puedas exigir alguna compensación? Yo no te pido nada... Yo tomo y no veo que del hecho de que haga uso de un derecho sobre ti deba resultar el de que deba abstenerme de ejercitar otro. No hay ningún amor en mis hechos, se trata de un sentimiento que jamás fue conocido por mi corazón. Me sirvo de una mujer por necesidad, como se sirve uno de un orinal para una necesidad diferente, pero sin conceder nunca a este ser, al que mi dinero o mi autoridad someten a mis deseos, ni estima ni ternura, sin deber lo que cojo más que a mí mismo y sin exigir nunca de ella más que sumisión, y no veo que según esto esté obligado a profesarle gratitud alguna. Tanto valdría decir que un ladrón que arranca la bolsa a un hombre en el bosque porque se encuentra más fuerte que él le debe alguna gratitud, por el daño que acaba de causarle; lo mismo ocurre con el ultraje que se hace a una mujer, que puede ser un título para inflingirle un segundo, pero nunca una razón suficiente para darle compensaciones.

Dalville, que acaba de satisfacerse, salió bruscamente diciendo estas palabras, y me volví a sumir en nuevas reflexiones que como podéis creer no estaban a su favor. Por la noche vino a vernos trabajar y, encontrando que no habíamos proporcionado la cantidad diaria habitual de agua, se apoderó de su cruel látigo y nos ensangrentó a las tres, sin que —aunque tan herida como las demás— aquello le impidiera venir aquella misma noche a comportarse conmigo como lo había hecho precedentemente. Le mostré las heridas de que me había cubierto, me atreví a recordarle una vez más la hora en que había desgarrado mi ropa interior para vendar las suyas, pero Dalville, gozando aún, no respondió a mis quejas sino con una docena de resoplidos entremezclados con otras tantas diferentes invectivas, y allí me dejó, como de costumbre, en cuanto se hubo satisfecho. Este manejo duró cerca de un mes, al cabo del cual obtuve al menos de mi verdugo la gracia de no volver a ser expuesta al horrible tormento de verle tomar lo que tan poco hecho estaba para obtener. Mi vida, sin embargo, no cambió en absoluto; no tuve ni más ni menos satisfacciones, ni más ni menos malos tratos.

Un año transcurrió en aquella cruel situación, cuando se propagó al fin en la casa la noticia de que no sólo la fortuna de Dalville estaba hecha, de que no sólo recibía la cantidad inmensa de papel para Venecia que había deseado, sino que incluso le volvían a pedir unos millones de monedas falsas cuyos fondos le harían pasar en papel a Venecia a su conveniencia. Era imposible que aquel forajido hiciera una fortuna más brillante y más inesperada; tal era el nuevo ejemplo que la providencia me preparaba, tal era la nueva manera en que quería una vez más convencerme de que la prosperidad no estaba hecha sino para el crimen y el infortunio para la virtud.

Dalville se preparó para la marcha, vino a verme la víspera a medianoche, lo que no había ocurrido desde hacía tiempo; él mismo fue quien me anunció su fortuna. Me eché a sus pies, le imploré con las más vivas instancias que me devolviera la libertad y el poco dinero que tuviera a bien para llevarme a Grenoble.

—En Grenoble me denunciarías.

—Pues bien, señor —le dije regando sus rodillas con mis lágrimas—, os hago juramento de no poner allí los pies; para convenceros, dignaos llevarme con vos hasta Venecia; quizás allí no encuentre corazones tan duros como en mi patria, y una vez que hayáis tenido a bien llevarme allí os juro, por todo lo que tengo de más sagrado, que nunca os importunaré.

—No te daré ni una ayuda ni un escudo —me replicó duramente aquel insigne pillo—. Todo lo que se llama limosna o caridad es algo que repugna de tal modo a mi carácter que aunque me viera tres veces más cubierto de oro de lo que lo estoy, no consentiría en dar medio denario a un indigente; tengo principios establecidos a este respecto de los que nunca me apartaré. El pobre está en el orden de la naturaleza; al crear a los hombres con fuerzas desiguales nos ha convencido del deseo que tenía de que esta desigualdad se conservara incluso en el cambio que nuestra civilización aportara a sus leyes. El pobre sustituye al débil; socorrerle es aniquilar el orden establecido; oponerse al de la naturaleza, echar abajo el equilibrio, que es la base de sus más sublimes disposiciones. Es trabajar por una igualdad peligrosa para la sociedad, alentar la indolencia y la haraganería, enseñar al pobre a robar al hombre rico cuando a éste le plazca negarle su ayuda, dada la costumbre que el pobre tomaría de obtener esta ayuda sin trabajo.

—¡Oh, señor, cuán duros son esos principios! ¿Hablaríais de este modo si no hubiérais sido siempre rico?

—Todos saben bien que lo he sido. Mi padre lo era, pero yo abandoné la casa a buena hora y conocí la miseria, antes de rehuir las riquezas que habría de hacer; fui desdichado como tú, pero he sabido dominar al destino, he sabido pisotear ese fantasma de virtud que nunca condena más que a la soga o al hospital, he sabido ver a tiempo que la religión, la beneficencia y la humanidad se convertían en los escollos seguros para todo quien aspire a la fortuna, y he consolidado la mía sobre los escombros de los prejuicios del hombre. Es burlándose de las leyes divinas y humanas, sacrificando siempre al débil cuando me lo tropezaba en mi camino, abusando de la buena fe y de la credulidad de los demás, arruinando al pobre y robando al rico, como he accedido al templo escarpado de la divinidad a la que incensaba. ¿Por qué no me imitaste? Tu fortuna ha estado en tus manos; la virtud quimérica que has preferido, ¿te ha consolado de los sacrificios que le has hecho? Ya no es tiempo, desgraciada, ya no es tiempo; llora tus errores, sufre e intenta encontrar si puedes, en el seno de los fantasmas que reverencias, lo que tu credulidad te ha hecho perder.

A estas crueles palabras Dalville se precipitó sobre mí..., pero me producía tal horror, sus horribles máximas me inspiraban tanto odio, que le rechacé duramente; quiso emplear la fuerza, aquélla no le sirvió. Se compensó con crueldades, fui cubierta de golpes, pero él no triunfó; el fuego se extinguió sin éxito, y las lágrimas derramadas por el insensato me vengaron al fin de sus ultrajes.

Al día siguiente, antes de partir, nos ofreció aquel desgraciado una nueva escena de crueldad y de barbarie, de la que los anales de los Andrónicos, de los Nerones, de los Wenceslaos y de los Tiberios no presentan ejemplos. Todo el mundo creía que su amante partía con él, la había hecho vestirse en consecuencia; en el momento de montar a caballo la llevó hacia nosotras.

—Este es tu puesto, vil criatura —dijo, ordenándole que se desnudara—, quiero que mis compañeros se acuerden de mí dejándoles en prenda la mujer de la que más enamorado me creían; pero como aquí no se necesitan más que tres y voy a hacer un camino peligroso en el que mis armas me serán útiles, voy a probar mis pistolas con una de vosotras.

Dicho esto arma una de ellas, la coloca sobre el pecho de cada una de las tres mujeres que hacían girar la rueda y, dirigiéndose al fin a una de sus antiguas amantes:

—Ve —le dice quemándole el cerebro—, ve a llevar noticias mías al otro mundo, ve a decir al diablo que Dalville, el más rico de los facinerosos de la tierra, es quien más insolentemente desafía la mano del cielo y la suya.

Aquella infortunada, que no expira inmediatamente, se debate mucho tiempo bajo sus cadenas. Espectáculo horrible que el infame observa con delicia; al fin la hace salir de entre ellas para colocar a su amante, quiere verla dar tres o cuatro vueltas, verla recibir de su mano una docena de golpes de látigo de posta, y acabadas aquellas atrocidades el hombre abominable monta a caballo, seguido de dos criados, y se aleja para siempre de nuestros ojos.

Todo cambió a partir del día siguiente a la marcha de Dalville; su sucesor, hombre amable y lleno de razón, nos hizo liberar al instante.

—No es éste el trabajo de un sexo débil y dulce —nos dijo con bondad—. El servir a esta máquina corresponde a los animales; bastante criminal es el oficio que hacemos sin necesidad de ofender aún al ser supremo con atrocidades gratuitas.

Nos instaló en el castillo, volvió a colocar sin ningún interés a la amante de Dalville en la misma situación en que se encontraba en la casa, y nos ocupó en el taller, a mi compañera y a mí, para tallar monedas, oficio mucho menos fatigoso, sin duda, y por el que éramos recompensadas con muy buenas habitaciones y una excelente comida. Al cabo de dos meses el sucesor de Dalville, llamado Roland, nos comunicó la feliz llegada de su colega a Venecia; se había instalado allí, había hecho efectiva su fortuna y disfrutaba de toda la prosperidad de que se había vanagloriado.

El destino de su sucesor no fue ni mucho menos el mismo; el desgraciado Roland era honrado, y eso era más de lo que podía pedirse para verse rápidamente aplastado por su honradez. Un día en que todo estaba en calma en el castillo, en que bajo las leyes de aquel buen amo el trabajo, aunque criminal, se hacía cómodamente y a gusto, de repente los muros fueron invadidos; al no poder pasar el puente escalan los fosos, y la casa, antes de que nuestras gentes tengan tiempo de pensar en su defensa, se encuentra llena de más de cien caballeros de la gendarmería. Hubo que rendirse, nos encadenaron a todos como criminales, nos ataron encima de unos caballos y nos condujeron a Grenoble. ¡Santo cielo!, me dije al llegar, he aquí la ciudad en la que tuve la insensatez de creer que para mí debía nacer la dicha. El proceso de los monederos falsos se celebró pronto, todos fueron condenados a ser ahorcados. Cuando vieron la marca que llevaba se ahorraron el trabajo de interrogarme, e iba a ser condenada como los demás, cuando al fin intenté obtener alguna piedad del magistrado famoso, gloria de aquel tribunal, juez íntegro, ciudadano respetable, filósofo preclaro, cuya beneficencia y humanidad grabarán en el templo de la Memoria el nombre célebre y respetable: me escuchó... hizo más; convencido de mi buena fe y de la certeza de mis desgracias, se dignó consolarme con sus lágrimas. ¡Oh, gran hombre, te debo un homenaje! Permite a mi corazón ofrecértelo, la gratitud de una infortunada no será en absoluto onerosa para ti, y el tributo que ella te ofrece al rendir honor a tu corazón será siempre el más dulce gozo del suyo. El señor Servant se convirtió él mismo en mi abogado, mis quejas fueron escuchadas, mis gemidos llegaron a las almas y mis lágrimas corrieron sobre corazones que no fueron de bronce para mí y que su generosidad me abrió. Las declaraciones generales de los criminales que iban a ser ejecutados vinieron a apoyar el celo de quien tenía a bien interesarse por mí. Fui declarada seducida e inocente, enteramente lavada de culpa y descargada de la acusación con plena y entera libertad de hacer lo que quisiera. Mi protector añadió a sus favores el de hacerme obtener los frutos de una colecta que me valió cerca de cien pistolas; veía al fin la felicidad, mis presentimientos parecían realizarse y me creía al cabo de mis males, cuando quiso la providencia convencerme de que estaba aún bien lejos de él.

Al salir de la prisión me había alojado en una posada frente al puente del Isère, donde me habían asegurado que estaría decentemente; mi intención, según los consejos del señor Servant, era permanecer allí algún tiempo para intentar colocarme en la ciudad o volver a Lyon si no lo lograba, con cartas de recomendación que él tendría la bondad de darme. Comía en aquella fonda en la mesa colectiva, cuando al segundo día me di cuenta de que era intensamente observada por una mujer gorda muy bien arreglada, que se hacía dar el título de baronesa.

A fuerza de examinarla a mi vez, creí reconocerla, nos adelantamos mutuamente una hacia otra, nos besamos como dos personas que se han conocido pero que no pueden acordarse dónde. Al fin la gorda baronesa, llevándome aparte:

—Sophie —me dijo—, ¿me equivoco o sois aquélla a quien salvé hace diez años en la prisión? ¿No situáis a la Dubois?

Poco contenta con aquel descubrimiento, contesté sin embargo con cortesía; pero me enfrentaba con la mujer más fina y más hábil que había en Francia, y no hubiera habido modo de escapar a ella. La Dubois me llenó de atenciones, me dijo que se había interesado por mis asuntos, como toda la ciudad, pero que ignoraba que se trataba de mí; débil, como de costumbre, me dejé llevar a la habitación de aquella mujer y le conté mis penas.

—Mi querida amiga —me dijo besándome una vez más—, si he deseado verte más íntimamente es para comunicarte que he hecho fortuna y que todo lo que tengo está a tu servicio. Mira —me dijo, abriéndome unos cajones llenos de oro y de diamantes—, he aquí los frutos de mi industria; si hubiese incensado a la virtud, como tú, estaría hoy encerrada o ahorcada.

—¡Oh!, señora —le dije—, si todo esto lo debéis a los crímenes, la providencia, que siempre acaba por ser justa, no os dejará gozar de ello mucho tiempo.

—Error —me dijo la Dubois—, no te imagines que la providencia favorece siempre a la virtud; que un débil momento de prosperidad no te suma en semejantes errores. Para la estabilidad de las leyes de la providencia es igual que fulano sea vicioso mientras mengano se entrega a la virtud; le hace falta una suma igual de vicio y de virtud, y cual sea el individuo que ejerce el uno o la otra es lo que en el mundo le resulta más indiferente. Escúchame, Sophie, escúchame con un poco de atención: tú eres inteligente y querría convencerte al fin. No es la elección que el hombre hace del vicio o la virtud, querida mía, la que le hace hallar la felicidad, ya que la virtud, como el vicio, no es sino un modo de conducirse en el mundo; no se trata, pues, de seguir más bien al uno o a la otra, no es sino cuestión de tomar la carretera general; el que se aparta de ella se equivoca siempre. En un mundo enteramente virtuoso te aconsejaría la virtud, porque estando unidas a ella las recompensas, la felicidad se apoyaría infaliblemente en ella; en un mundo totalmente corrompido, no te aconsejaría nunca más que el vicio. El que no sigue el camino de los demás perece inevitablemente; todo lo que encuentra a su paso le golpea y como es el más débil es necesariamente destrozado. En vano las leyes quieren restablecer el orden y acercar a los hombres a la virtud; demasiado viciosos para emprenderlo, demasiado imbéciles para lograrlo, se apartarán un instante del camino trillado, pero nunca podrán abandonarlo. Cuando el interés general de los hombres les conduzca a la corrupción, el que no quiera corromperse con ellos luchará, pues, contra el interés general; ahora bien, ¿qué felicidad puede esperar quien contraría perpetuamente el interés de los demás? Tú me dirás que es el vicio el que contraría el interés de los hombres, yo te lo concedería en un mundo compuesto a partes iguales de viciosos y virtuosos, porque entonces el interés de unos choca visiblemente con el de los otros, pero no es éste el caso en una sociedad corrompida en su totalidad; mis vicios entonces no ultrajan más que al vicioso y determinan en él otros vicios que le compensan y los dos nos encontramos felices. La vibración se hace general, se trata de una multitud de choques y de lesiones mutuas, en la que cada uno, al volver a ganar al momento lo que acaba perder, vuelve a encontrarse sin cesar en una situación feliz. El vicio no es peligroso más que para la virtud, porque ésta, débil y tímida, no se atreve nunca a nada, pero en cuanto aquélla sea borrada de la faz de la tierra, el vicio, al no ultrajar más que al vicioso, hará surgir otros vicios, pero no alterará ninguna virtud. ¿Van a objetárseme los buenos efectos de la virtud? Otro sofisma; nunca sirven más que al débil y son inútiles para aquel que por su energía se basta a sí mismo y que no necesita más que su habilidad para enderezar los caprichos del destino. ¿Cómo quieres no haber fracasado toda tu vida, querida muchacha, tomando sin cesar, en sentido contrario, el camino que seguía todo el mundo? Si te hubieras lanzado al torrente habrías hallado el puerto, como yo. ¿Va a llegar tan de prisa quien pretende remontar un río como quien lo desciende? Uno quiere contrariar a la naturaleza, el otro se entrega a ella. Tú me hablas siempre de la providencia, ¿y quién te prueba que a ella le gusta el orden y, en consecuencia, la virtud? ¿No te da continuamente ejemplos de sus injusticias y de sus irregularidades? ¿Es enviando al hombre la guerra, la peste y el hambre, habiendo formado un universo vicioso en todas sus partes, como manifiesta a tus ojos su amor intenso por la virtud? ¿Y por qué quieres que los individuos viciosos le desagraden, puesto que ella misma no actúa sino viciosamente, puesto que todo es vicio y corrupción, puesto que todo es crimen y desorden en su voluntad y en sus obras? ¿Y de quién nos vienen estos impulsos que nos arrastran al mal? ¿No es su mano quien nos los da; hay una sola de nuestras voluntades o de nuestras sensaciones que no venga de ella? ¿Es, pues, razonable decir que nos daría o nos dejaría inclinaciones por algo que le resultaría inútil? Luego si los vicios la sirven, ¿por qué querríamos oponernos a ellos, con qué derecho trabajaríamos para destruirlos y de dónde viene el que nos resistamos a su voz? Un poco más de filosofía en el mundo lo pondrá pronto todo en su sitio y hará ver a los legisladores, a los magistrados, que esos vicios que condenan y castigan con tanto rigor tienen a veces un grado de utilidad mucho mayor que esas virtudes que predican sin recompensarlas nunca.

—Pero aunque yo fuera lo bastante débil, señora —respondí a aquella corruptora—, como para entregarme a vuestros espantosos sistemas, ¿cómo lograríais ahogar el remordimiento que en todo momento harían nacer en mi corazón?

—El remordimiento es una quimera, Sophie —repuso la Dubois—; no es sino el murmullo imbécil del alma, lo bastante débil como para no atreverse a aniquilarlo.

—¿Puede aniquilarse?

—Nada más fácil; uno no se arrepiente más que de lo que no tiene costumbre de hacer. Repetir con frecuencia lo que os da remordimientos y lograréis apagarlos; oponedles la llama de las pasiones, las poderosas leyes del interés, y pronto los habréis disipado. El remordimiento no demuestra el crimen, sólo revela un alma fácil de subyugar. Si llega una orden absurda de impedirte que salgas de esta habitación, no saldrás de ella sin remordimiento, por cierto que sea que, sin embargo, no harás mal alguno saliendo de ella. Luego no es verdad que sólo el crimen dé remordimientos; al convencerse de la nada de los crímenes, o de su necesidad tenida cuenta del plan general de la naturaleza, sería, pues, posible vencer con la misma facilidad el remordimiento que se tendría al cometerlos, como te lo sería el ahogar el que te provendría de tu salida de esta habitación, según la orden ilegal que de permanecer en ella hubieras recibido. Hay que empezar por un análisis exacto de todo lo que los hombres llaman crimen, comenzar por convencerse de que lo que así caracterizan no es más que la infracción de sus leyes y sus costumbres nacionales, de que lo que se llama crimen en Francia deja de serlo a cien leguas de aquí; de que no hay ninguna acción que sea realmente considerada como crimen en toda la tierra y de que, por consiguiente, nada en el fondo merece razonablemente el nombre de crimen, que todo es cuestión de opinión y de geografía. Sentado esto resulta, pues absurdo querer someterse a practicar unas virtudes que en otro lugar no son más que vicios, y a huir de crímenes que son buenas acciones en otro clima. Te pregunto ahora si este examen hecho reflexivamente puede dejar remordimientos a quien por su placer o su interés haya cometido en Francia una virtud de la China o del Japón, que, sin embargo, le perjudicará en su patria. ¿Se detendrá en esta vil distinción, y si tiene un poco de filosofía en la mente será ésta capaz de darle remordimientos? Ahora bien, si el remordimiento no existe más que en función de la prohibición, si no nace más que a causa de la ruptura de los frenos y no a causa de la acción, ¿se trata de un impulso que resulte inteligente dejar subsistir?, ¿no es absurdo no aniquilarlo inmediatamente? Si nos acostumbramos a considerar indiferente la acción que acaba de dar remordimientos, si la juzgamos tal mediante el reflexivo estudio de las costumbres y usos de todas las naciones del mundo; si, en consecuencia, de este razonamiento repetimos esta acción, sea la que sea, tan frecuentemente como sea posible, la llama de la razón destruirá pronto el remordimiento, aniquilará ese impulso tenebroso, fruto sólo de la ignorancia, de la pusilanimidad y de la educación. Hace treinta años, Sophie, que un perpetuo encadenarse de vicios y de crímenes me conduce paso a paso a la fortuna, ya la toco con el dedo; dos o tres golpes de suerte más y paso del estado de miseria y de mendicidad en que nací a más de cincuenta mil libras de renta. ¿Supones que en esta carrera brillantemente recorrida el remordimiento haya venido un solo instante a hacerme sentir sus espinas? No lo creas, jamás lo he conocido. Si un terrible revés me hiciera saltar al instante del pináculo al abismo tampoco lo admitiría; me quejaría de los hombres o de mi inhabilidad, pero seguiría estando en paz con mi conciencia.

—Sea, pero razonemos un instante sobre los mismos principios de filosofía que vos. ¿Con qué derecho pretendéis exigir que mi conciencia sea tan firme como la vuestra, puesto que no ha estado habituada desde la infancia a vencer los mismos prejuicios? ¿A título de qué exigís que mi espíritu, que no está organizado como el vuestro, pueda adoptar los mismos sistemas? Admitís que en la naturaleza existe una suma de males y de bienes, y que es preciso que en consecuencia haya una cierta cantidad de seres que practiquen el bien y otra clase que se entregue al mal. El partido que yo tomo, incluso según vuestros principios, está, pues, en la naturaleza; no exijáis, pues, que me aparte de las reglas que él me dicta, y lo mismo que vos encontráis, según decís, la felicidad en la carrera que seguís, a mí me sería imposible hallarla fuera de la que yo recorro. No supongáis, por otra parte, que la vigilancia de las leyes deje mucho tiempo en paz a quien las transgrede. ¿No acabáis de ver el ejemplo de ello ante vuestros propios ojos? De los quince facinerosos entre los que tenía la desgracia de vivir, uno se salva, catorce perecen ignominiosamente.

—¿Eso es lo que tú llamas una desgracia? ¿Qué importa primeramente esa ignominia a quien ya no tiene principios? Cuando todo se ha superado, cuando el honor no es sino un prejuicio, la reputación una quimera, el porvenir una ilusión, ¿no da lo mismo morir ahí o en la cama? Hay dos especies de rufianes en el mundo, aquel a quien una poderosa fortuna, un crédito prodigioso ponen a cubierto de este fin trágico y aquel que si es cogido no lo evitará; este último, nacido sin bienes, no debe pensar más que en dos cosas, si es inteligente: la *fortuna* o la *rueda*. Si logra la primera tiene lo que ha deseado, si no consigue más que la otra, ¿qué pena pueda tener, puesto que no tiene nada que perder? Las leyes son, pues, nulas, con respecto a los rufianes y puesto que no alcanzan al que es poderoso, el que es feliz se sustrae a ellas y el desgraciado, sin otro recurso que su espada, no debe asustarse de ellas.

—¿Y creéis que la justicia celestial no espera en un mundo mejor al que el crimen no ha asustado en éste?

—Creo que si hubiera un dios, habría menos maldad sobre la tierra; creo que si el mal existe sobre la tierra, o esos desórdenes son necesitados por ese dios, o impedirlos está por encima de sus fuerzas; ahora bien, yo no temo en absoluto a un dios que no es más que débil o malo, le desafío sin miedo y me río de su fulminación.

—Me hacéis temblar, señora —dije levantándome—, perdonad que no pueda escuchar más tiempo vuestras odiosas blasfemias.

—Detente, Sophie, y si no puedo vencer a tu razón, deja al menos que seduzca tu corazón. Te necesito, no me niegues tu ayuda; mira estos cien luises, los pongo de lado ante mí, son tuyos en cuanto demos el golpe.

No escuchando más que a mi natural inclinación a hacer el bien, pregunté rápidamente a la Dubois de qué se trataba, a fin de prevenir con todas mis fuerzas el crimen que se preparaba a cometer.

—Pues bien—me dijo—, ¿te has fijado en ese joven negociante de Lyon que come con nosotras desde hace tres días?

—¿Quién, Dubreuil?

—Precisamente.

—¿Y bien?

—Está enamorado de ti, me lo ha confiado. Tiene seiscientos mil francos, en oro o en papel, en un cajoncito cerca de su cama. Déjame hacer creer a ese hombre que aceptas escucharle. ¿Qué te importa que sea verdad o no? Yo le animaré a proponerte un paseo fuera de la ciudad, le persuadiré de que sus asuntos contigo avanzarán durante este paseo; tú le divertirás, le mantendrás fuera el mayor tiempo posible; mientras tanto yo le robaré, pero no escaparé en absoluto, sus efectos estarán ya en Pisa y yo estaré todavía en Grenoble. Emplearemos todo el arte posible para disuadirle de fijarse en nosotras, aparentaremos ayudarle en sus pesquisas, mientras tanto se anunciará mi marcha, que no le asombrará en absoluto, tú me seguirás, y los cien luises te serán entregados en cuanto una y otra lleguemos a Turín.

—De acuerdo, señora —dije a la Dubois, decidida a avisar al desgraciado Dubreuil de la infame jugada que pensaban hacerle; y para mejor engañar a aquella bribona— Pero pensad, señora —añadí—, que si Dubreuil está enamorado de mí yo puedo sacar más de él sea previniéndole sea vendiéndome a él, que lo poco que me ofrecéis por traicionarle.

—Eso es cierto —me dijo la Dubois—, en verdad empiezo a creer que el cielo te ha dado más arte que a mí para el crimen. Pues bien —continuó mientras escribía—, toma mi billete de cien luises, y atrévete a negarte ahora.

—Mucho me cuidaré de ello, señora —dije aceptando el billete—, pero al menos no atribuyáis sino a mi desgraciada situación mi debilidad y el error que cometo al satisfaceros.

—Yo quería ver en ello un mérito de tu inteligencia, tú prefieres que acuse a tu desgracia, sea como quieras, cumple mis deseos y estarás contenta.

Todo se arregló; la misma noche empecé a mirar con mejores ojos a Dubreuil, y efectivamente reconocí que sentía cierta inclinación por mí.

Nada más embarazoso que mi situación; estaba sin duda lejos de prestarme al crimen propuesto, aunque hubiera habido tres veces más dinero que ganar, pero me repugnaba demasiado hacer ahorcar a una mujer a la que había debido mi libertad diez años antes; quería impedir el crimen sin denunciarlo, y con cualquiera que no hubiera sido una bribona tan consumada como la Dubois lo habría conseguido con seguridad. He aquí lo que decidí, ignorando que la sorda maniobra de aquella criatura abominable no sólo destruiría todo el edificio de mis honrados proyectos, sino que me castigaría incluso por haberlos concebido.

El día señalado para el proyectado paseo, la Dubois nos invitó a ambos a comer en su habitación; aceptamos, y terminada la comida Dubreuil y yo bajamos para apresurar al coche que nos preparaban. Como la Dubois no nos acompañaba, estuve un momento sola con él antes de subir al coche.

—Señor —le dije precipitadamente—, escuchadme con atención, sin escándalo, y observad sobre todo rigurosamente lo que voy a prescribiros. ¿Tenéis algún amigo seguro en esta posada?

—Sí, tengo un joven socio con el que puedo contar como conmigo mismo.

—Pues bien, señor, id rápidamente a decirle que no abandone un instante vuestra habitación durante el tiempo que estemos de paseo.

—Pero la llave de la habitación la tengo en el bolsillo. ¿Qué significa este exceso de precaución?

—Es más esencial de lo que creéis, señor, haced caso de ella o no saldré con vos. La mujer de cuya habitación salimos es una bribona, que ha arreglado nuestro encuentro para robaros más cómodamente durante este tiempo. Daos prisa, señor, nos observa, es peligrosa; no debe parecer que os aviso; dad rápidamente la llave a vuestro amigo, que se instale en vuestra habitación con otras personas si le es posible y que ni uno ni los otros se muevan hasta que estemos de vuelta. Os explicaré el resto en cuanto estemos en el coche.

Dubreuil me oye, me aprieta la mano para darme las gracias, y vuela a dar órdenes relativas a mi recomendación; vuelve, partimos y en ruta le explico toda la aventura. Este joven me testimonió todo el agradecimiento posible por el favor que le hacía y, tras haberme instado a decirle la verdad sobre mi situación, me testimonió que nada de lo que le comunicaba sobre mis aventuras le repugnaba lo bastante como para impedirle ofrecerme su mano.

—Me siento muy feliz de poder reparar los yerros que la fortuna ha tenido contra vos. Reflexionad en ello, Sophie, soy dueño de mí mismo, no dependo de nadie, voy a Ginebra para una inversión considerable de las sumas que vuestros buenos avisos me salvan; vos me seguiréis, y al llegar me convierto en vuestro esposo y vos no aparecéis en Lyon sino bajo este título.

Semejante aventura me agradaba demasiado para atreverme a rechazarla, pero tampoco me convenía aceptar sin hacer notar a Dubreuil todo lo que podría hacerle arrepentirse de ella. Me agradeció mi delicadeza, y me dio aún más prisa... ¡Tan desgraciada era que era preciso que la felicidad jamás se me ofreciera sino para hacerme sentir más vivamente la pena de no poderla alcanzar nunca, y que estuviera decididamente establecido en los designios de la providencia que no surgiría de mi alma una sola virtud que no me precipitara en el abismo? Nuestra conversación nos había llevado ya a dos leguas de la ciudad, e íbamos a bajar para gozar del frescor de unos paseos a orillas del Isère, donde pensábamos solazarnos, cuando de repente Dubreuil me dijo que se encontraba infinitamente mal... Baja, le sorprenden terribles vómitos, le hago volver al momento al coche, y volvemos a volar apresuradamente hacia Grenoble; Dubreuil está tan mal que hay que llevarle hasta su habitación. Su estado sorprende a sus amigos, que según sus órdenes no habían salido de su aposento. No le abandono... Llega un médico; santo cielo, el estado de aquel desgraciado joven se decide, está envenenado... Apenas me entero de esta atroz noticia vuelo al aposento de la Dubois... la bribona... había partido... paso a mi cuarto, mi armario está forzado, el poco dinero y la ropa que poseo ha desaparecido, y la Dubois, según me dicen, corre desde hace tres horas hacia Turín... No cabía duda de que ella era la autora de esta multitud de crímenes, se había presentado en la habitación de Dubreuil y airada por encontrar en ella a gente se había vengado en mí, y había envenenado a Dubreuil en la comida para que al regreso, si hubiera logrado robarle, aquel desgraciado joven, más preocupado por su vida que por perseguirla, la dejara huir en seguridad, y para que el accidente de su muerte ocurriera por así decirlo en mis brazos, y yo resultase verosímilmente más sospechosa que ella. Corro a la habitación de Dubreuil, no me dejan acercarme, expiraba en medio de sus amigos, pero disculpándome, asegurándoles que yo era inocente, y prohibiéndoles que me persiguieran. Apenas hubo cerrado los ojos, su socio se apresuró a traerme la noticia, pidiéndome que estuviese tranquila... Desgraciadamente, ¿podía estarlo, podía no llorar amargamente la pérdida del único hombre que, desde que me hallaba en el infortunio, se había ofrecido con tanta generosidad a sacarme de él? ¿Podía no lamentarme de un robo que me volvía a poner en el fatal abismo de la miseria del que no podía conseguir salir? Confié todo esto al socio de Dubreuil, lo que se había preparado contra su amigo, y lo que me había ocurrido a mí; me compadeció, lloró amargamente a su socio y maldijo el exceso de delicadeza que me había impedido ir a querellarme inmediatamente que los supe de los proyectos de la Dubois. Convinimos en que aquella horrible criatura a la que no faltaban más que cuatro horas para hallarse en país seguro, estaría en él antes de que hubiéramos logrado que la persiguieran, que aquello nos costaría mucho dinero, que el dueño de la posada, altamente comprometido por las querellas que yo iba a presentar y defendiéndose con brío, acabarían acaso por aplastar a alguien que en Grenoble no era más que la reciente protagonista de un proceso criminal y vivía de la caridad pública... Esta razones me convencieron e incluso me espantaron hasta el punto que me decidí a partir sin despedirme de mi protector. El amigo de Dubreuil aprobó esta decisión, no me ocultó que, si toda aquella aventura se revelaba, las deposiciones que se vería obligado a hacer me comprometerían, fueran cuales fueran sus precauciones, tanto a causa de mi relación con la Dubois como a causa de mi último paseo con su amigo, y que en consecuencia me repetía por todo ello el consejo de partir sola de Grenoble sin ver a nadie, segura de que, por su lado, no haría nada que pudiera volverse contra mí. Reflexionando a solas en toda esta aventura, vi que el consejo de aquel joven era tanto mejor cuanto que tan seguro era que yo parecía culpable como no lo era; que lo único que hablaba vivamente a mi favor, la advertencia hecha a Dubreuil, quizá mal explicada por él «in artículo mortis», no sería una prueba tan absoluta como podía esperar, con lo cual me decidí rápidamente. Di cuenta de ello al socio de Dubreuil.

—Me gustaría que mi amigo me hubiese hecho parte de algunas disposiciones favorables a vos, las cumpliría con el mayor placer; me gustaría incluso —dijo— que hubiera dicho que era a vos a quien debía el consejo de guardar su habitación mientras salía con vos; pero no hizo nada de todo esto, sólo nos dijo varias veces que vos no érais culpable y que para nada se os persiguiera. Me veo, pues, obligado a limitarme a la estricta ejecución de sus órdenes. La desgracia que me decís haber sufrido por su culpa me decidiría a hacer algo por vos y por mi propia cuenta si pudiera, Sophie, pero empiezo ahora en el comercio, soy joven y mi fortuna es extremadamente limitada; ni un óbolo de la de Dubreuil me pertenecen y estoy obligado a devolver el total inmediatamente a su familia. Permitid pues, Sophie, que me limite al único pequeño favor que voy a haceros; he aquí —me dijo haciendo subir a su habitación a una mujer a la que había entrevisto en la posada—, he aquí a una honrada comerciante de Chalon-sur-Saône, mi patria, donde vuelve tras pasar veinticuatro horas en Lyon, donde tiene que hacer.

»Señora Bertrand —dijo aquel joven presentándome a la mujer—, he aquí una joven a la que os recomiendo; le gustaría colocarse en provincias; os ruego, como si trabajárais para mí mismo, que hagáis todo lo posible para colocarla en nuestra ciudad de modo adecuado a su nacimiento y condición. Que no tenga que hacer ningún gasto para ello, yo os pagaré todo en cuanto nos veamos... Adiós, Sophie... La señora Bertrand parte esta noche, seguidla y que un poco más de felicidad pueda acompañaros en una ciudad en la que quizá tenga la satisfacción de volveros a ver pronto, y de testimoniaros toda mi vida mi gratitud por el buen proceder que habéis tenido para con Dubreuil.»

La honestidad de aquel joven, que realmente no me debía nada, me hizo derramar lágrimas a mi pesar; acepté sus dones jurándole que no trabajaría más que para poder devolvérselos un día. Desgraciadamente, me dije, si de nuevo el ejercicio de la virtud acaba de precipitarme en el infortunio, al menos por primera vez en mi vida se ofrece a mí la apariencia de consuelo en esta espantosa sima de males en la que la virtud me precipita una vez más. No volví a ver a mi joven bienhechor, y partí como se había decidido con la señora de Chalon la noche siguiente a la desgracia que acababa de abatirse sobre Dubreuil.

La señora Bertrand tenía un pequeño coche cubierto, tirado por un caballo al que conducíamos por turno desde dentro; allí estaban sus cosas y una buena cantidad de dinero contante, con una niñita de dieciocho meses a la que todavía amamantaba y con la que para mi desgracia no tardé en encariñarme tanto como podía estarlo la que le había dado el ser.

La señora Bertrand era una especie de verdulera sin educación ni inteligencia, recelosa, charlatana, chismosa, aburrida y tonta como casi todas las mujeres de pueblo. Cada noche llevábamos regularmente todas sus cosas a la posada y dormíamos en la misma habitación. Llegamos a Lyon sin que nada nuevo nos ocurriera, pero durante los dos días que aquella mujer necesitaba para sus asuntos tuve en esta ciudad un encuentro singular; me paseaba por el muelle del Ródano con una de las muchachas de la posada a la que había rogado que me acompañara, cuando de pronto vi avanzar hacia mí al reverendo padre Antonin, ahora guardián de los recoletos de aquella ciudad, verdugo de mi virginidad y al que, como recordáis, señora, había conocido en el pequeño convento de Santa María del Bosque, al que me había llevado mi mala estrella. Antonin me abordó groseramente y me preguntó, aunque aquella sirvienta estaba delante, si quería ir a verle a su nueva morada y allí renovar nuestros antiguos placeres.

—Esta sí que es una buena y gorda madre —dijo hablando de la que me acompañaba—, y será igualmente bien recibida, en nuestra casa tenemos buenos vividores muy capaces de manejarse con dos muchachas bonitas.

Enrojecí prodigiosamente ante semejantes discursos, por un momento intenté hacer creer a aquel hombre que se equivoca-

ba; no lográndolo, intenté con signos contenerle al menos ante
mi guía, pero nada calmó a aquel insolente y sus solicitudes se
hicieron más ardientes. Al fin, ante nuestras reiteradas negativas
a seguirle, se limitó a pedirnos insistentemente nuestras señas;
para deshacerme de él se me ocurrió de inmediato la idea de
darle unas falsas; las apuntó en su cartera y nos dejó, asegu-
rándonos que pronto volveríamos a vernos. Volvimos a casa;
por el camino expliqué como pude la historia de aquel desgraciado conocimiento a la sirvienta que estaba conmigo, pero
fuese que lo que le dije no la satisfizo, fuera por la charlatanería
habitual en esta clase de chicas, juzgué por las frases de la
Bertrand a raíz de la triste aventura que con ella me ocurrió,
que estaba al corriente de mi relación con aquel perverso
monje; a todo esto él no apareció y nosotras nos fuimos. Salimos tarde de Lyon, y aquel día no llegamos más que a Villefranche, y allí fue, señora, donde me sucedió la horrible catástrofe que hoy me hace aparecer ante vuestros ojos como
una criminal, sin que la haya sido más en esta funesta ocasión
de mi vida que en ninguna de aquellas en que me habéis visto
tan injustamente agobiada por los golpes del destino, y sin que
al abismo de la desgracia me haya empujado otra cosa que el
sentimiento de la beneficencia que me era imposible apagar en
mi corazón.

Llegadas en el mes de marzo, sobre las siete de la tarde, a
Villefranche, nos habíamos apresurado a cenar y a acostarnos
temprano, mi compañera y yo, para hacer al día siguiente una
jornada más larga. No hacía dos horas que descansábamos,
cuando un humo espantoso se introduce en nuestra habitación
y nos despierta a una y otra en pleno sobresalto. No dudamos
de que hubiera fuego en los alrededores... Santo cielo, los
progresos del incendio eran ya atroces; abrimos nuestra puerta
medio desnudas y a nuestro alrededor no oímos otra cosa que el
ruido de las paredes que se derrumban, el estrépito horrible
de los armazones que se resquebrajan y los alaridos espantosos

de los desgraciados que caen en el fuego. Una nube de aquellas voraces llamas viene hacia nosotros y no nos deja tiempo más que para precipitarnos fuera, nos arrojamos al exterior y nos encontramos confundidas con la multitud de desgraciados que, como nosotras, algunos medio asados, buscan la salvación en la huida… En este momento me acuerdo de que la Bertrand, más preocupada de sí misma que de su hija, no ha pensado en salvarla de la muerte; sin avisarla, vuelo hacia nuestra habitación a través de las llamas que me ciegan y me queman en varias partes de mi cuerpo, agarro a la pobre criatura, me lanzo a llevársela a su madre; al apoyarme en una viga medio consumida me falla el pie, mi primer impulso es poner la mano ante mí, y este movimiento de la naturaleza me fuerza a soltar el precioso fardo que llevo, y la desgraciada niñita cae en las llamas ante los pies de su madre. Aquella terrible mujer no reflexiona ni en el sentido de la acción que he querido llevar a cabo para salvar a su hija, ni en el estado en que la caída de su hija ante sus ojos acaba de sumirme, y enloquecida por su dolor me acusa de la muerte de su hija, se abalanza impetuosamente sobre mí y me cubre de golpes. Mientras, el incendio se detiene, una multitud de voluntarios salva incluso más de la mitad del albergue. La primera ocupación de la Bertrand es volver a su habitación, una de las menos dañadas de todas; repite sus quejas, diciéndome que había que haber dejado en ella a su hija y que no habría corrido ningún peligro. Pero cuál no es su sorpresa cuando, al buscar sus cosas, ve que han sido enteramente robadas. Entonces, sin hacer caso más que de su desesperación y su ira, me acusa en voz alta de ser la causante del incendio y de haberlo provocado para robarla más cómodamente, me dice que va a denunciarme, y pasando inmediatamente del dicho al hecho, solicita hablar con el juez del lugar. Por más que protesto de mi inocencia, ella no me escucha; el magistrado que pide no estaba lejos, él mismo había dirigido los socorros, y aparece a petición de aquella mala mujer… Formula su querella contra mí, le dice todo lo que le viene a la cabeza para darle fuerza y legitimidad, me describe como una muchacha de mala vida, escapada de la horca en Grenoble, como una criatura de la que un joven, sin duda mi amante, la ha obligado a hacerse cargo a pesar suyo, habla del recoleto de Lyon; en una palabra, nada de lo que la calumnia, envenenada por la desesperación y la venganza, puede inspirar, fue olvidado. El juez recibe la denuncia, se examina la casa; se halla que el fuego ha comenzado en un granero lleno de heno, donde varias personas declaran haberme visto entrar por la noche, lo que es verdad; buscando un excusado mal indicado por las sirvientas a las que me había dirigido había entrado en aquel granero, y había permanecido en él tiempo suficiente para hacer sospechar aquello de lo que se me acusaba. El proceso, pues, comienza, y sigue con todas sus reglas, los testigos son oídos, nada de lo que puedo alegar en mi defensa es siquiera escuchado, queda demostrado que yo soy la incendiaria, se prueba que tengo cómplices que mientras yo actuaba por un lado han cometido el robo por el suyo, y sin más esclarecimientos soy llevada al amanecer a la prisión de Lyon, y encerrada como incendiaria, infanticida y ladrona.

Acostumbrada desde hace mucho a la calumnia, a la injusticia y a la desgracia, habituada desde mi infancia a entregarme a cualquier sentimiento virtuoso en la seguridad de hallar espinas mi dolor fue más estúpido que desgarrador y más lloré que me quejé. A todo esto, y como es natural en la criatura que sufre, buscando todos los medios posibles para salir del abismo en que me había sumido el infortunio, me vino a la memoria el padre Antonin; por poca ayuda que esperase de él, no me resistí al deseo de verle, y pregunté por él. Como no sabía lo que podía querer de él, apareció, fingiendo no conocerme; entonces dije al portero que era posible que ya no se acordara de mí, puesto que había sido mi director espiritual cuando yo era muy joven, pero que en virtud de aquello deseaba tener una entrevista secreta con él; ambos consintieron en ello. En cuanto estuve sola con aquel monje me eché a sus pies y le conjuré a que me salvara de la cruel situación en que me hallaba; le demostré mi inocencia y no le oculté que las proposiciones que me habían hecho dos días antes habían vuelto contra mí a la persona a la que iba recomendada y que ahora era mi adversaria. El monje, me escuchó con mucha atención y apenas hube terminado, el bribón, por toda respuesta, me ordenó que me entregara a él, pero yo retrocedí de horror ante aquella execrable proposición:

—Escucha, Sophie —me dijo—, escúchame con un poco de atención y no te exaltes como de costumbre en cuanto se infringen tus absurdos principios; ya ves dónde te han llevado tus principios, y ahora puedes convencerte fácilmente de que nunca han servido más que para sumirte de abismo en abismo, deja, pues, una vez en tu vida de seguirlos, si quieres que tus días sean salvados. No veo sino un medio para lograrlo; uno de nuestros padres de aquí es pariente cercano del gobernador y del intendente, le avisaré, di que tú eres su sobrina, te reclamará como tal, y bajo promesa de encerrarte en el convento para siempre estoy convencido de que impedirá que el proceso llegue más lejos. De hecho tú desaparecerás, él te dejará en mis manos y yo me encargaré de esconderte eternamente, pero serás mía; no te oculto que, esclava sumisa de mis caprichos, los ejecutarás todos sin reflexionar, ya me conoces, Sophie, y me entiendes, elige pues entre este partido o el patíbulo y no hagas esperar tu respuesta.

—Vamos, padre —respondí con horror—, vamos, sois un monstruo al atreveros a abusar tan cruelmente de mi situación para colocarme entre la muerte y la infamia; salid, sabré morir inocente, y al menos moriré sin remordimientos.

Mi resistencia inflama a aquel facineroso, que se atreve a mostrarme hasta qué punto sus pasiones se hallan irritadas; el infame osa pensar en las caricias del amor en el seno del horror y las cadenas, bajo la propia espada que me espera para golpearme. Quiero huir, me persigue, me tumba sobre la desgraciada paja que me sirve de lecho, y si no llega a consumar enteramente su crimen me cubre al menos de rastros tan funestos del mismo que ya no me es posible no creer en la abominación de sus designios.

—Escuchad —me dice arreglándose—, vos no queréis que yo os sea útil; enhorabuena, os abandono, ni os favoreceré ni os perjudicaré, pero si se os ocurre decir una sola palabra contra mí, cargando con los más enormes crímenes, os privaré al momento de toda posibilidad de defenderos jamás; pensad bien en ello antes de hablar, y daos cuenta del sentido de lo que voy a decir al carcelero, o acabo de aplastaros en un instante.

Llama, el portero entra:

—Señor —le dice aquel rufián—, esta buena muchacha se equivoca, ha querido hablar de otro padre Antonin que está en Burdeos, yo no la conozco ni nunca la he conocido; me ha rogado que escuche su confesión, lo he hecho, ya conocéis nuestras leyes, luego nada tengo que decir; os saludo a ambos y siempre estaré dispuesto a presentarme cuando mi ministerio se juzgue necesario.

Antonin sale al decir estas palabras, me deja tan estupefacta por su falacia como confusa por su impertinencia y su libertinaje.

Mientras el proceso llega a su fin. Nada hay tan rápido como los tribunales inferiores; compuestos casi siempre por idiotas, rigoristas imbéciles o brutales fanáticos, casi seguros de que alguien con mejor vista corregirá sus errores, nada les frena en cuanto se trata de cometerlos. Fui, pues, condenada unánimemente a muerte por ocho o diez rechonchos comerciantes que componían el famoso tribunal, refugio de personas en bancarrota, y llevada inmediatamente a París para la confirmación de mi sentencia. Las más amargas y más dolorosas reflexiones vinieron entonces a terminar de desgarrar mi corazón:

¿Bajo qué fatal estrella tengo que haber nacido, me dije, para que me resulte imposible concebir un solo sentimiento de virtud que no sea inmediatamente seguido por un diluvio de males, y cómo es posible que esta ilustre providencia, cuya justicia me gozo en adorar, al castigarme por mis virtudes, me haya ofrecido al mismo tiempo la visión de quienes me aplastaban con sus vicios en el pináculo? En mi infancia un usurero quiere comprometerme a cometer un robo, me niego, él se enriquece y yo estoy a punto de ser ahorcada. Unos bribones quieren violarme en un bosque porque me niego a seguirles, ellos prosperan y yo caigo en manos de un marqués degenerado que me da cien latigazos con un nervio de vaca por no querer envenenar a su madre. De allí voy a casa de un cirujano, a quien evito un crimen execrable, y como recompensa el verdugo me marca y me despide; sus crímenes sin duda se consuman, él hace fortuna y yo me veo obligada a mendigar mi pan. Quiero acercarme a los sacramentos, quiero implorar con fervor al ser supremo de quien tantas desgracias recibo, y el augusto tribunal en el que espero purificarme con uno de nuestros más santos misterios se convierte en el espantoso teatro de mi deshonor y de mi infamia; el monstruo que abusa de mí y que me destroza es luego elevado a los más grandes honores, mientras yo vuelvo a caer en el espantoso abismo de mi miseria. Quiero socorrer a un pobre y me roba. Socorro a un hombre desvanecido y el rufián me hace dar vueltas a una rueda como una bestia de carga, me muele a golpes cuando me fallan las fuerzas, y todos los favores del destino vienen a colmarle mientras yo estoy a punto de perder mis días por haber trabajado forzadamente en su casa. Una mujer indigna quiere seducirme para un nuevo crimen, pierdo por segunda vez los pocos bienes que poseo para salvar la fortuna de su víctima y para preservarla de la desgracia, este infortunado desea recompensarme con su mano y expira en mis brazos antes de poderlo hacer. Me arriesgo en un incendio para salvar a una niña que no es mía y heme aquí por tercera vez bajo la espada de Temis. Imploro la protección de un desgraciado que me ha deshonrado, me atrevo a esperar que sea sensible al exceso de mis males, y de nuevo el bárbaro me ofrece su ayuda a cambio de mi deshonor... Oh, providencia, ¿me estará al fin permitido dudar de tu justicia, y con qué grandes plagas me habría visto abrumada si, a ejemplo de mis perseguidores, hubiese sacrificado siempre al vicio? Tales eran, señora, las imprecaciones que a pesar mío me atrevía a permitirme... que me eran dictadas por el horror de mi destino, cuando os habéis dignado dejar caer sobre mí una mirada de piedad y compasión... Mil perdones señora, por haber abusado tanto tiempo de vuestra paciencia, he vuelto a hacer sangrar mis heridas, he turbado vuestro reposo, esto es todo lo que una y otra sacaremos del relato de estas crueles aventuras. El astro se alza, mi guardianes van a llamarme, dejad que corra a la muerte; ya no la temo, ella abreviará mi tormento, ella los hará terminar; la muerte no es temible más que para el ser afortunado cuyos días son puros y serenos, pero la desgraciada criatura que no ha comido más que sapos y culebras, cuyos pies ensangrentados no han pisado más que espinas, que no ha conocido a los hombres sino para odiarles, que no ha visto la luz del día más que para detestarla, aquélla a quien crueles reveses han arrebatado padres, fortuna, socorro, protección, amigos, aquélla a quien no le quedan en el mundo más que lágrimas para beber y tribulaciones para alimentarse... aquélla, digo, ve avanzar a la muerte sin temblar, la desea como un puerto seguro en el que renacerá para ella la tranquilidad en el seno de un dios demasiado justo para permitir que la inocencia envilecida y perseguida sobre la tierra no encuentre un día en el cielo la recompensa a sus lágrimas.

El honrado señor de Corville se había emocionado prodigiosamente al oír este relato; en cuanto a la señora de Lorsange, en quien los monstruosos errores de su juventud (como ya hemos dicho), no habían apagado la sensibilidad, estaba a punto de desvanecerse.

—Señorita —dijo a Sophie—, es difícil escucharos sin tomar el más vivo interés por vos... pero he de confesaros que un sentimiento inexplicable, más vivo aún que el que acabo de pintaros, me arrastra invenciblemente hacia vos, y hace de los vuestros mis propios males. Me habéis disfrazado vuestro nombre, Sophie, me habéis ocultado vuestro origen, os conjuro a confesarme vuestro secreto; no creáis que es una vana curiosidad la que me incita a hablaros de este modo; si lo que sospecho fuera verdad... ¡Oh, Justine, si vos fuerais mi hermana...!

—Justine... señora, qué nombre...

—Ella tendrá vuestra edad actualmente.

—Oh, Juliette, ¿eres tú la que oigo?... —dijo la desgraciada prisionera, precipitándose a los brazos de la señora Lorsange— Tú, hermana mía, santo Dios... ¡Qué blasfemia he cometido! He dudado de la providencia...! ¡Ah, moriré mucho menos desgraciada, puesto que he podido besarte una vez más!

Y las dos hermanas, estrechamente apretadas una contra otra, ya no se expresaban más que con sollozos, ya no se entendían más que con sus lágrimas... El señor Corville no pudo contener las suyas, y al ver que le era imposible no prestar a aquel asunto el mayor interés, salió inmediatamente y pasó a un gabinete, escribió al Guardia de los Sellos, pintó con rasgos sangrientos el horror del destino de la infortunada Justine, se hizo garante de su inocencia, pidió que hasta la revisión del proceso la pretendida culpable no tuviera otra prisión que su castillo, y se comprometió a presentarla a la primera orden del jefe soberano de la justicia. Escrita la carta, se la encomendó a los dos caballeros, se dio a conocer de ellos, les ordenó que la llevaran inmediatamente y que volvieran por su prisionera a su casa, si recibían la orden en respuesta a su escrito; aquellos dos hombres que veían con quien tenían que habérselas, no temieron comprometerse al obedecerle, y mientras tanto un coche avanza...

—Venid, bella infortunada —dice entonces el señor Corville a Justine, a la que encuentra aún en brazos de su hermana—, venid, todo acaba de cambiar para vos en un cuarto de hora; no se dirá que vuestras virtudes no encontrarán aquí abajo ni que nunca encontraréis más que almas de hierro… Seguidme, sois mi prisionera, sólo yo responderé de vos.

Y el señor Corville explica entonces en pocas palabras todo lo que acaba de hacer…

—Hombre tan respetable como querido —dice la señora de Lorsange, precipitándose a los pies de su amante—, he aquí el más bello gesto que hayáis tenido en vuestros días. A quien verdaderamente conoce el corazón del hombre y el espíritu de la ley corresponde vengar la inocencia oprimida, socorrer al infortunio agobiado por el destino… Sí, hela aquí, hela aquí, vuestra prisionera… Ve, Justine, ve… corre inmediatamente a besar donde pisa este equitativo protector que no te abandonará como los demás… ¡Oh, señor, si los lazos del amor con vos eran preciosos para mí, cuánto más van a serlo, embellecidos por los vínculos de la naturaleza, reforzados por la más tierna estima!

Y aquellas dos mujeres besaban a más y mejor las rodillas de tan generoso amigo y las regaban con sus lágrimas.

Partieron. El señor de Corville y la señora de Lorsange se divertían extraordinariamente al hacer pasar a Justine desde el exceso del infortunio al colmo de la dicha y la prosperidad; la alimentaban con delicia con los platos más suculentos, la acostaban en las mejores camas, querían que ella mandara en su casa, utilizaban, en fin, toda la delicadeza que era posible esperar de dos almas sensibles… Le hicieron tomar remedios durante unos días, la bañaron, la vistieron, la embellecieron; era el ídolo de los dos amantes, cada uno de los cuales quería ser el primero en hacerle olvidar sus desgracias. Un excelente artista se encargó de hacer desaparecer con sus cuidados aquella marca ignominiosa, fruto cruel de la rufianería de Rodin. Todo respondía a los deseos de la señora de Lorsange y de su delicado

amante; ya se borraban de la frente encantadora de la amable
Justine las marcas del infortunio... ya las gracias volvían a
mostrar su imperio en ella; a la lividez de sus mejillas de ala-
bastro sucedieron las rosas de la primavera; la risa, borrada
desde tanto tiempo atrás de aquellos labios, reapareció al fin en
ellos cabalgando sobre el placer. De París llegaron las mejores
noticias, el señor Corville había puesto en movimiento a toda
Francia, había despertado el celo del señor S..., que se había
unido a él para describir las desgracias de Justine y para devol-
verle una tranquilidad que le era tan justamente debida... Al fin
llegaron cartas del rey, que purgaban a Justine de todos los
procesos de que había injustamente sido víctima desde su infancia, le devolvían el título de honrada ciudadana, imponían
silencio para siempre a todos los tribunales del reino que habían
conspirado contra aquella desgraciada y le concedían mil dos-
cientas libras de pensión procedentes de los fondos requisados
en el taller de los falsos monederos del Delfinado. Poco faltó
para que ella no muriera de gozo al enterarse de tan halagüeñas
noticias; durante varios días seguidos derramó dulces lágrimas
en el regazo de sus protectores, cuando de pronto su humor
cambió sin que fuera posible adivinar la causa. Se volvió sombría, inquieta, soñadora, a veces lloraba en medio de su amigos
sin poder explicarse a sí misma el motivo de sus lágrimas.

—No he nacido para semejante cúmulo de dicha —decía a
veces a la señora de Lorsange...—. Oh mi querida hermana, es
imposible que esto pueda durar.

Le aseguraban que todas sus penas estaban acabadas, que no
debía volver a tener ninguna especie de inquietud; la atención
que se había tenido con ella de no hablar para nada en los do-
cumentos que se habían hecho sobre su caso, de los personajes
con los que se había comprometido y cuya reputación podía ser
temible no podía más que tranquilizarla; sin embargo nada lo
lograba, hubiérase dicho que aquella pobre muchacha, únicamente destinada a la desgracia y sintiendo la mano del infor-

tunio continuamente suspendida sobre su cabeza, preveía ya el último golpe que iba a aplastarla.

La señora de Lorsange habitaba todavía en el campo; estaban a fines de verano, se preparaba un paseo que una horrible tormenta en formación amenazaba estropear; el exceso de calor había obligado a dejarlo todo abierto en el salón. Brilla el relámpago, cae el granizo, soplan con impetuosidad los vientos, se dejan oír espantosos truenos. La señora de Lorsange, horrorizada... La señora de Lorsange, que tiene un miedo horroroso de la tormenta, suplica a su hermana que lo cierre todo lo más rápidamente que pueda; el señor de Corville regresaba en aquel momento; Justine, con prisa por tranquilizar a su hermana, vuela a una ventana, quiere luchar un momento con el viento que la rechaza, y de pronto un rayo la tumba en medio del salón y la deja sin vida sobre el suelo.

La señora de Lorsange lanza un grito lamentable... se desvanece; el señor de Corville pide socorro, se reparten los cuidados, llevan a la señora de Lorsange a la luz, pero la desgraciada Justine había sido herida de modo que ni siquiera la esperanza podía subsistir. El rayo había entrado por el seno derecho, había quemado el pecho y había vuelto a salir por la boca desfigurando de tal modo su rostro que mirarla daba horror. El señor de Corville quiso que se la llevaran inmediatamente. La señora de Lorsange se levanta con un aire de mayor tranquilidad, y se opone a ello.

—No —dice a su amante—, no, dejadla un momento ante mis ojos, necesito contemplarla para afirmarme en la resolución que acabo de tomar; escuchadme, señor, y sobre todo no os opongáis en absoluto a la decisión que tomo y de la que nada en el mundo podrá ahora distraerme.

»Las inauditas desgracias que experimentó esta desdichada, aunque siempre haya respetado la virtud, tienen algo de demasiado extraordinario, señor, como para no abrirme los ojos sobre mí misma; no creáis que me ciegan esos falsos destellos de felicidad de los que hemos visto disfrutar en el transcurso de estas aventuras a los rufianes que la han atormentado. Estos caprichos del destino son enigmas de la providencia que a nosotros no nos corresponde desvelar, pero que jamás deben seducirnos; la prosperidad del malvado no es más que una prueba a la que la providencia nos somete, es como el rayo cuyos engañosos fuegos embellecen la atmósfera sólo para precipitar en los abismos de la muerte a los desgraciados a los que deslumbran... He aquí, ante nuestros ojos, un ejemplo de ello; las continuas calamidades, las desgracias espantosas y sin interrupción de esta infortunada muchacha son una advertencia que el Eterno me da para que me arrepienta de mis irregularidades, para que escuche la voz de mis remordimientos y me arroje al fin en sus brazos, ¿qué trato debo temer de él, yo... cuyos crímenes os harían temblar si los conociérais... yo cuyo libertinaje, cuya irreligión.... cuyo abandono de los principios ha marcado cada instante de la vida..., que debería esperar yo, puesto que de tal modo es tratada aquella que en todos sus días no tuvo que reprocharse un solo error voluntario?... Separémonos, señor, es hora de ello... Ninguna cadena nos ata, olvidadme, y admitid que vaya hacia un arrepentimiento eterno a abjurar a los pies del ser supremo de las infamias con las que me he manchado. Este golpe terrible para mí era al mismo tiempo necesario para mi conversión en esta vida, y para la felicidad que me atrevo a esperar en la otra; adiós, señor, nunca volveréis a verme. La última prueba de vuestra amistad que espero es que no hagáis ningún género de pesquisas para saber lo que es de mí; os espero en un mundo mejor, vuestras virtudes deben conduciros a él, y puedan las maceraciones a las que, para expiar mis crímenes, voy a dedicar los desgraciados años que me quedan, permitirme volveros a ver allí un día.

La señora de Lorsange abandona inmediatamente la casa, hace preparar un coche, toma unas sumas consigo, deja todo lo demás al señor de Corville recomendándole donaciones piadosas, y vúela a París, donde entra en las carmelitas, de las que al cabo de pocos años se convierte en modelo y ejemplo, tanto por su gran piedad como por su sabiduría y la extremada regularidad de sus costumbres.

El señor de Corville, digno de obtener los más altos cargos de su patria, no los aprovecha sino para hacer a la vez la dicha del pueblo, la gloria de su soberano y la fortuna de sus amigos.

Vos que leeréis esta historia, ojalá podáis sacar de ella el mismo provecho que aquella mujer mundana y corregida, ojalá podáis convenceros con ella de que la verdadera felicidad no está sino en el seno de la virtud y de que si Dios permite que sea perseguida sobre la tierra es para prepararle en el cielo una más halagüeña recompensa.

Terminado al cabo de quince días,
el 8 de julio de 1787

ÍNDICE

• OTROS TÍTULOS DE ESTA COLECCIÓN •

• OTROS TÍTULOS DE ESTA COLECCIÓN •